JN084486

国フェスの社会言語学

多言語公共空間の談話と相互作用

猿橋順子

The Sociolinguistics of Nation-specific Festivals:
Discourses and Interactions in Multilingual Public Spaces

SARUHASHI Junko

三元社

ナマステ・インディア、2016年
（代々木公園 東京都渋谷区）

ブラジルフェスティバル、2016年
（代々木公園 東京都渋谷区）

ラオスフェスティバル、2017年
（代々木公園 東京都渋谷区）

ベトナムフェスティバル、2017年
（代々木公園 東京都渋谷区）

カンボジアフェスティバル、2017年
（代々木公園 東京都渋谷区）

台湾フェスタ、2017年
（代々木公園 東京都渋谷区）

日韓交流おまつり、2015年
（日比谷公園 東京都千代田区）

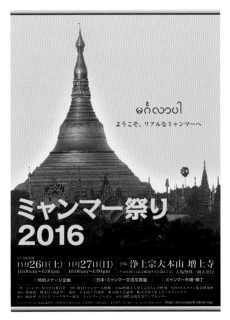

ミャンマー祭り、2016年
（増上寺 東京都港区）

代々木公園の森林公園部（A地区）とイベント広場を含むB地区をつなぐ歩道橋から、眼下に広がる会場を見下ろすかぎり、互いに似通った催事に見える国フェス。会場に近付くにつれ、鳴り響く音楽のリズムや楽器の音色、スパイスやお香の匂い、聞こえてくる言語は異なる。文化固有の音や匂い、色彩に誘われて人々が集まる。

国フェスの社会言語学
多言語公共空間の談話と相互作用

国フェスの
社会言語学

多言語公共空間の
談話と相互作用

もくじ

| 第3章 | 国フェスのチラシのマルチモーダル談話分析
| A4紙一枚に凝集される国フェス

| 第4章 | 国フェス会場に展開される国名・地名 | 想像の国家空間

序

〈国フェスことはじめ〉

　移住者コミュニティ内の祭り（移民の祭り）は、ホスト社会にどの程度可視化されているかの違いはあっても、コミュニティ形成と共にある。祭りは、それぞれのコミュニティ内の暮らしと相互扶助の中で求められ、故郷での各々の経験と記憶を持ち寄って形づくられ、維持されていく。

　その中には、移住者コミュニティの枠を超えて大きく発展していく祭りもある。たとえば、横浜中華街の関帝廟で行われる関帝誕は、横浜華僑によって明治30（1897）年頃から盛大に行われていた様子が横浜市史に記録されている（張 2003）。獅子舞を目玉とする、この関帝誕は、いまや神奈川県内にとどまらず多くの観光客を誘致し、全国メディアが取り上げる催しにまで発展した。

　ただし、こうした発展形が横浜華僑コミュニティ、あるいは広く在日華僑にとって、どのような意味をもつのかについては、見解が分かれるところであろう。たとえば、尾上（1983）は横浜中華街の伝統芸能の継承に、宗教性と興行化のトレードオフを見る。これはひとつの角度からの見解であり、そもそも文化実践を技芸と見るのか、宗教性や精神性とのかかわりで見るのか、移住者コミュニティの結束を促す手段と見るのか、芸術、娯楽、商業、観光資源、国際理解、政治など、どの側面に光をあてるかによって、その評価も異なってくることであろう。

　ホスト社会からの市民権を（も）得るか否かという観点から、移住者コミュニティの祭りを捉えて飯田（2002）は、「在日コリアンが観衆をひきつける『祭り』をもつようになったのは、やっと1980年代に入ってからである」（p.309）と指摘する。その論考の中で、1990年から始まった大阪府大阪市の四天王寺ワッソを、「草の根的な参加者の自発性よりも、大規模イベントとしてのプロデュース性」が前面に出た「大都市イベント型」（p.318）と表現する。飯田がこれまで密着してきた、在日コリアン集住コミュニティ内の祭りとはやや質的に異なる催事と位置づけている。

　また、松平（1994）は群馬県の大泉まつりで実現した、在日ブラジル人によるカーニバルを、「年に一度の命の燃焼であり、生活のすべてを賭ける」カーニバルへの思いと、「故郷としてのブラジルへの望郷の念」（p.205）がひとつになった瞬間と描写する。これを「望郷フェスタ」（p.193）と呼び、「日伯文化交流」のような

「よそ行きの顔」(p.205) で参加する催事とは異なると両者を質的に区別している。

このように、日本国内の移住者のコミュニティ内で育まれた祭りを対象とした、1990年代半ばから2000年代初頭の研究において、従来型の移住者コミュニティの祭りとは、質的に異なる催事の存在が指摘されている。それらの催事は、「大都市」、「大規模」、「プロデュース性」、「商業的」、「国際」、「交流」などの語で形容され、一方、移住者コミュニティ内の祭りは「草の根」、「自発的参加」、「情熱」、「生活」、「望郷」などの語で形容される。フィールドワークの過程を通して見えてきた社会的出来事という意味では、両者を連続的に位置づけることも可能なはずだが、異なる質感の表現によって、大都市型の催事は移民の祭りとは別ものとされる。はっきりと明言されてはいないものの、「プロデュース性」や「商業的」などの一連の表現に、どこか「本来の祭りではない」、「うわべの」というニュアンスを嗅ぎ取るのは、筆者だけのうがった見方ではないだろう。

そして、本書が注目するのは、まさにこれらの「大都市」で「大規模」に「国際交流」を掲げて開催されるフェスティバルのほうである。集客や収支なども考慮しながら計画することをプロデュースというならば、まさに可能な限り「プロデュース」されて行われるフェスティバルである。

ひとまずそちらに目をやると、タイフェスティバルやブラジルフェスティバルなどのように、国名を冠した祭りやフェスティバルは日本各地で開催されている。筆者が確認した範囲で、2016年には代々木公園（東京都渋谷区）だけでアイルランド、インド、インドネシア、カンボジア、スペイン、タイ、ネパール、ブラジル、ベトナム、ラオスと、それぞれの国名を冠したフェスティバルが開催された。

祭りとフェスティバルは同義か、イベントやフェア、博覧会（EXPO）などは別物か。フェスティバルを短縮して、1拍目が低く発音される「フェス」は、どう区別されるのか。これらの定義上の問いには、辞書を引いても説得力のある答えは得られない。それは、もはや、世代、これまでの経験、思い入れなど、個々人の心象風景にどう組み込まれているか、ということに尽きるだろう。

ロックフェスを対象とした社会学の研究で永井（2016）は、彼が研究対象とする営みの顕著な多様性に触れ、「厳格な定義を急ぐこと」は、定義を巡る「議論の泥沼化」に陥りかねず、「対象のおもしろさを減じてしまう」(p.7) 危険性があると指摘する。また、「フェス文化」の先駆けと言える、野外音楽フェスティバルの運営過程に携わった経験をまとめた菊地（2004）は、名称によって多くの人が抱くフェスティバルのジャンルのイメージと、具体的な内容とのズレから

生じる批判や議論が、運営者や参加者の間にもあることを報告している。それでもなお菊地（2004）は、そうした議論の中でフェスティバルが培うべき「こだわり」（たとえば、宮城県仙台市の定禅寺ストリートジャズフェスティバルの場合は「ジャンルとしてのジャズにこだわらない」(p.185)というこだわり）が共有されていくさまを示し、そうした模索のプロセスにこそ意義を見出す。これらの指摘に賛同し、本書でもイベントの名称によらず、都心の公共空間で、不特定多数の参加者に開かれ、国名を掲げ、文化的な紹介や国際交流を主たる目的とした野外の催しを「国フェス」と総称し、研究の対象とする。

〈「国フェス」という呼称について〉

　上記の議論に加え、筆者が「国フェス」という語を用いるきっかけとなる出来事があった。それは、筆者の「国フェス」研究に着手する動機づけにも、長期的な研究の目標にも関連している。その出来事を記しておきたい。

　筆者は、大学院博士後期課程在学中の2000年頃から、現在（2021年）に至るまで、主に首都圏の移住者コミュニティでフィールドワークをさせてもらったり、在日外国人にインタビューをさせてもらったりしている。コミュニティの中で、あるいはそれぞれの家庭や親族、団体や組織の単位で、祝祭は大小さまざまにある。調査者としてかかわっている中で、そうした機会に招いていただけるのは、とても嬉しいことである。

　2010年から2011年にかけて、新宿区の高田馬場駅周辺に点在する、ミャンマーレストランの店主にお話を聞かせてもらった。レストランは、コミュニティの祝祭行事に食事を提供したり、祭りの実行委員会の打ち合わせ後の食事会や打ち上げに利用されたりもする。レストランそのものが祝祭の会場になることもある。だから、特に祭りや祝祭をテーマとしたインタビューでなくても、彼／彼女らが日常を語る中で、自ずと祭りや祝祭の語りに多く触れることとなった。もちろん、その中には、本書が対象とする「国フェス」（ミャンマー祭り）も含まれていたのだが、その時はまだ、筆者は、それらの催事を「国フェス」と位置づけてはいなかった。

　翻って、大学での演習（ゼミ）において、学生達と移住者コミュニティの生活世界に分け入りながら学びを深めるにはどうしたらよいのか、という教員としての課題があった。集住コミュニティは郊外に点在しているので、訪問するとなると電車とバスを乗り継いで行くことになる。訪問はせいぜい学期中に1回か2回

で、フィールドワークといえるほどのかかわりはもてない。こうした訪問の目的
には、移住者コミュニティや在日外国人の生活世界を、私たちの社会のことであ
り、日常にかかわることとして捉えて欲しいという思いがあるのに、訪問には、
どこか遠足のような雰囲気が漂う。そうした非日常感が気にかかっていた。

　そういう葛藤も手伝って、ミャンマー出身のレストラン店主との出会いから、
訪問先をエスニックレストランに変えてみた時期もあった。エスニックレストラ
ンは、訪問するのに比較的便利な立地にある。レストランで働く人々も移住者コ
ミュニティの成員であると同時に、店はコミュニティのさまざまな活動の拠点に
もなっている。店舗の中には、それらの記念写真が飾られていたり、資料や書籍
が置かれていたりする。近い将来開催予定の催事のポスターが貼られ、上映予定
の映画の割引券が置かれていたりする。そこには、店主たちの家族や仲間、移住
者コミュニティの歴史が刻まれているのに加え、そこを起点に現在のコミュニ
ティの広がりが見える情報の宝庫なのである。これらの諸相から、エスニックレ
ストランは、学生達と共に訪問し、食事をいただきながら、お話を聞くのに絶好
の場所のようにも思えた。何軒か、趣旨に賛同してくださった店舗で、とても楽
しい有意義な時間を作ってもらったこともある。その反面、彼／彼女らの本来の
営業を妨げてしまう場面もあり、心苦しく思う時もあった。

　そうした試行錯誤の中でたどり着いたのが、祭り・フェスティバルという機会
であった。祭りの会場には、彼らも出向くし、こちらも出向く。そこには人が多
く集まる。レストランの屋台では、誰かが忙しくて手が離せなければ、他の人が
対応する。即興的なやりとりが自由に活発に展開される。そこで、レストラン店
主に、「私たちが行ってもいいお祭り」を聞き（「お祭りなのだから、来ていいに
決まっている」と笑いながら言われたが）、学生達にも「行けるお祭りに行く」
こと、そして、ただ見て回るのではなく、誰かに話しかけ、話を聞く、それを
フィールドノーツにまとめることを課してみた。

　このような取り組みをゼミで行っていたある日、大学のキャンパスを歩いてい
ると、ひとりの学生に呼び止められた。

　「猿橋ゼミでは、フェスのことやってるって本当ですか？」

　やや面食らって「フェスというか、お祭り。日本に暮らしている外国人が中心
の」と答えると「面白そう！　来年、ゼミに応募しようと思います」と言う。ど
ういうことだろうと怪訝に思いながら、次のゼミの時に「私たちがフィールド
ワークに行ったところですけど、あれは何かしら？」と聞くと、真面目なゼミ長

が大真面目な顔で「フェスです」と「ス」にアクセントを置いて答えた。ちなみに、その時は、在日ミャンマー人が中心になって開催する「東京ダジャン祭り（水かけ祭り）」（日比谷公園）を訪れた後だった。

　「君たちにとって、あれはフェスに見えているの？」と聞くと皆、一様にうなずく。「だってタイフェスっていうじゃないですか。それと同じ感じ」と言う。「お祭りではない？」と聞くと「『お祭り』って（タイトルが）なっているから、お祭りではないとはいわないけど、お祭りっていったら新しい発見はない感じがする」と他のゼミ生。「フェスっていった方がいいよねぇ」、「その方が行きたい気がする」と口々に言うのである。

　先に紹介した、松平（1994）や飯田（2002）が、遠回しに別物として区別する催事を、若者達は歯切れよく「フェス」と言い表し、新しい発見ができる場所として捉えている。そこにむしろ可能性があるようにも感じた。松平（1994）が「日伯文化交流」のような催事を日系ブラジル人にとって「よそ行き」と表現したように、ゼミ生達は、彼／彼女たちにとって非日常である在日外国人集住コミュニティへの訪問を「よそ行き」と感じている。もちろん、「国フェス」が十全とは言わないが、両者が互いに「よそ行き半分／自発的参加半分」に出会える場所となりうるのが「フェス」なのではないだろうか。このように考えていくと、そこに何らかの接点を見出していかなければ、大都市における移住者コミュニティの存在は、ますます見えにくくなってしまうのではないだろうか、とさえ考えるようになった。

　以来、国名を冠する、あるいは外国の文化実践を持ち込んで行う、都会の公共空間で開催されるお祭りやフェスティバルを「国フェス」と称しての、筆者のフィールドワーク（主に代々木公園通い）が始まった。

　ただし、日本国内で、この事例について話す際に「国フェス」という表現を用いると、怪訝な顔をされることも少なくない。「ロックフェス」、「ジャズフェス」、「フードフェス」等は市民権を得ていると感じるのだが、「国フェス」という呼び方に違和感を覚えるのはなぜなのだろう。

　松平（1994）や飯田（2002）が、従来の集住コミュニティ内の祭りと区別したときに用いた、「草の根」、「自発的参加」、「情熱」、「生活」、「望郷」などの質感が欠落していることを、開き直って認めているかのように聞こえるからなのだろうか。あるいは、「商業性」や「プロデュース性」への懐疑的なまなざしが起因しているのだろうか。社会や文化のイベント化（茶谷2003; 永井2016）や、文化の商品化と消費（Classen & Howes 1996; Bennet, Taylor, & Woodward 2014）への憂慮も関

連しているのかもしれない。ステレオタイプを増幅させることへの懸念 (Iwabuchi 2015)、はたまた、国家を消費する対象とすることへの違和感があるのかもしれない。Johnson（1991）は、西暦2000年をひかえた当時、膨大となる記念日の祝祭を、ポストモダニズムとの関連で分析している。これらいずれもグローバル化する都市社会を語る上で、欠くことのできない諸概念である。だから、もし「国フェス」という表現に何らかの違和感を覚えるのであれば、その違和感の所在はどこにあるのか。それを探っていくことも意味があると考える。

　前置きが長くなったが、研究の対象を「国フェス」と括ることにした経緯を述べた。呼称そのものに賛否両論があろうことを承知の上で、以下のような社会実践について「国フェス」という用語を用いて議論を進めていきたい。

　　　本書で対象とする「国フェス」は、都市の公園、広場、目抜き通り、商店
　　　街、寺社の境内、運動場など、野外の公共空間で、年に一度（多くても二度）、
　　　週末や日本の祝祭日に開催される、諸外国の国名や地域名を冠した催事とす
　　　る。これらの公共空間に、期間限定で、当該国・地域の文化活動が持ち込ま
　　　れる。そして基本的には入場無料で、期間中、誰でも自由に入退場できるも
　　　のとする。

　なお、本書ではさまざまな国フェスを取り上げるが、国フェスが掲げる国を当該国、その国の言語を当該国（の）言語と記す。当該国言語には、その国の国語、公用語だけでなく、地域のマイノリティ言語、先住民言語や手話、古語なども含まれる。また、開催国とは国フェスが実施される国のこととし、本書では日本を指す。開催国言語は、当該国言語同様、地域変種（方言）やアイヌ語、日本手話なども含む用語として位置づける。実際には、ほぼ日本語で占められる。

〈本書の構成〉
　本書を執筆している2021年2月現在、新型コロナウイルス感染症 (COVID-19) 対策のため、日本のみならず世界各地で祭りやイベントは中止、あるいはオンライン開催となっている。本書に収録した国フェスのデータは、この世界的な難局が発生する以前（2015年9月〜2018年5月）に収集したものであるが、2020年3月以降、再度、情報収集に取り組み、感染症対策を徹底して開催されたベトナムフェスティバルのフィールドワークを追加で行い、収録した。各章の概要は以

下の通りである。

第1章では、国フェスを研究することの社会的な意義と、社会言語学的な意義を論じる。国フェスを研究対象とすることの可能性を広く示した上で、本書が依って立つ方法論上の視点を紹介する。本書は、各章ごとにさまざまなテーマ設定のもと展開されるが、エスノグラフィックなフィールドワークによって収集したデータに基づき、ディスコース（談話）という観点からのアプローチを共通項としている。さらに本書が基盤とする、「場」の談話を分析する領域としてマルチモーダル談話分析（MDA）、言語景観研究、地理記号論を紹介し、続く各章が、どのような研究課題について、どの方法論を用いて取り組むものであるかを示す。

第2章では、実地調査に着手するまでの準備および予備調査と、選定した国フェスの一覧を示す。実地調査に赴いた国フェスは、代々木公園で開催されたもの10件、それ以外の会場のもの5件の計15件（延べ23回）である。続いて、これら15件の国フェスについて、開催の経緯から、運営主体、開催の目的、今日に至るまでの沿革をまとめる。その上で、見出された国フェスの特徴を論じる。

第3章では、国フェスのチラシ（口絵カラー図版参照）に注目して分析を行う。事前にA4判の紙一枚にデザインされ、印刷され、配布される国フェスのチラシは、国フェスが何を伝えようとしているのか、どのような文化活動が紹介されるのか、関係者は誰か、どのような価値観を内包しているのかといったことを紐解く手がかりとなる。8件の国フェスのチラシを素材に、テクスト、画、デザイン、多言語使用について横断的に見る。

第4章から第8章までは、国フェスの会場で認められた事柄を紹介していく。

第4章では、国フェス会場の言語景観調査から、当該国の国名がどのように用いられているかを見ていく。国名は文化活動や産品を紹介するときだけでなく、何かを価値づけたり、擬人化されたりとさまざまな用いられ方をする。また、国名単独で扱われるだけではなく、より広範な地域や、より小さな単位である省や都市に関連づけられることもある。どのような文脈において、当該国以外の国名や、より小さな単位の地名が出現するのかについて、事例を通して見ていく。

第5章では、アイ・ラブ・アイルランド・フェスティバルにおいて通訳が配置されていたトークショーを事例に、「通訳が欠落する場面」に注目し、詳細な談話分析に取り組む。通訳は、当該国の言語と開催地の言語が異なる国フェスでは、重要な役割を担う。あらかじめ準備され、役割を付与された通訳の介在は、より制度化された相互作用場面となることが予測される。こうした場面のコミュニ

ケーション過程を見ていくことは、国フェスが誰に対して何を伝える場になっているかを明らかにする上で手がかりとなる。

　第6章では、飲食・物販のブースが立ち並ぶ出店エリアで、当該国の言語に関連する取り組み、すなわち言語関連活動を見る。ここでいう言語関連活動とは、当該国の言語や文字が、商品やサービスのように価値づけられて紹介されている活動を指す。15件の国フェスで確認された言語関連活動の中から、ベトナムフェスティバル、カンボジアフェスティバル、ミャンマー祭りにおいて、当該国言語を紹介する参加型の事例を分析し、文化資本（Bourdieu 1986, 1991）としての言語の可能性を見ていく。

　第7章では、メインステージで行われる音楽ライブにおける楽曲間トークに注目し、談話分析に取り組んだ。事例は台湾フェスタに登場した台湾出身の歌手で、中国語と台湾原住民言語の歌を披露した。楽曲間トークは日本語で、最後は聴衆も一緒に台湾原住民言語の歌を歌うまでに会場を誘っていった。当該国言語に多くの参加者が触れる機会、その中でもマイノリティの言語文化を体験する機会を創出するまでの過程に注目して分析を行った。

　第8章では、新型コロナウイルス感染症が広がる中での国フェスの取り組みについて、ベトナムフェスティバルを事例に考察する。本書の企画を練っていた2019年度末段階では想定すらしていない事態であった。2020年2月頃から徐々に深刻さを増していった新型コロナウイルスの世界的な広がりは、お祭りやフェスの開催そのものができなくなるだけでなく、そうした事業にかかわる人たちにとっては死活問題となった。急遽、追加調査を実施し、感染症対策を講じた国フェス、「新しい日常」における国際的な文化交流活動の課題と展望を考える章として書き下ろした。

　第9章では、第2章から第8章までの分析結果をまとめる。それらを相互参照しながら、社会言語学的に見出される国フェスとは何か、すなわち国フェスの談話について、移住者コミュニティにとっての意義、文化的多様性と言語的多様性の観点から論じる。今後の国フェス研究の課題と多言語公共空間形成への示唆を、主に研究の方法論との関連から論じ、本書の結びとする。

　また、各章に含むことができなかった多言語使用の諸相、調査を通して出会った人々の国フェスへの思いなど、コラムとしてまとめた。国フェスの多面性と、国フェス研究の面白さ、奥深さが伝わればと思う。

横濱中華学院校友会による南方獅子舞の演舞（台湾フェスタ、2017年）

第1章

国フェスの
社会言語学的
研究

意義と方法

伝統舞踊（カンボジアフェスティバル、2017年）　提供：カンボジアフェスティバル実行委員会

1.　はじめに

　本研究は、諸外国の国名や地域名を冠し、国際交流や国際理解を主たる目的に、当該国や当該地域の文化活動を広範に持ち込んで行われる野外イベントを「国フェス」と称し、そこで流通しているモノ・コト・価値などを、主に社会言語学の手法を用いて探究していく。各国フェスは、1年に一度（多くても二度）、週末や祭日に開催される、誰でも参加可能な催事である。都心の公共空間で開催される国フェスは、あらかじめ枠組みが設計されており、出演者、出店者、ボランティア、来場者を広く募って成立する。

　また、日本でさまざまな国のフェスティバルが開催されるのと同様に、世界各地でも大小さまざまなジャパンフェスティバルが開催されている（たとえば、Melbourne Japanese Summer Festival, Japan Festival Boston, Japan Summer Festival Singapore）。すなわち、国フェスはグローバルな広がりの只中にある（Goldstein-Gidoni 2005）。翻ると、文化活動だけではなく、催事の枠組みの国際移動が、類似のイベントを拡張させているとも考えられる。

　そのため、国フェスは、移民の祭りからの発展過程といった通時的な視座からだけではなく、トランスナショナリズムやサブカルチャー、国家ブランド化などとも関連づけて、共時的・横断的に傾向を見ていく意義がある。そこには社会言語学のみならず、社会学、文化人類学、政治学、国際関係論、地域研究、観光学など、さまざまな学問分野の関心とも符合する可能性がある。

　社会言語学の観点からいえば、マルチリンガリズムや通訳・翻訳、言語接触と言語混淆、移民の言語とアイデンティティ、言語とエンパワメント、言語政策などの研究課題にも直結する。また、他の学問分野の研究課題にアプローチする上でも、談話分析や会話分析、コーパス分析等をはじめ社会言語学の方法論が有用である。

　そこで、本章では、国フェスを研究対象とすることの意義について、その社会的な意義と、社会言語学的な意義を論じる。続いて、本研究で用いる研究法を紹介する。最後に、催事の特性から、多言語公共空間ともなる国フェスを研究する上での課題を論じる。

2. 国フェス研究の意義

国フェス研究の社会的な意義について、国家イメージ、相互作用と秩序形成、文化移転、パワー構造、デジタルメディアの5つの観点から論じる。

第一に、国フェスは開催国の視点に立つと、「外国」を掲げた催しであることから、その営みを研究することは、人々がもつその国のイメージを明らかにすることにつながる。さらに、それらを横断的に見ていくことは、人々（あるいは「都市生活者」と限定した方が適切かもしれない）にとっての「国とは何か」といった意味世界に分け入ることにもなるだろう（cf. Billig 1995）。国をテーマとして掲げる催しに、どのような活動や内容が集まり、それらが、どのように国と関連づけられて紹介されるのか。どのような営みが中心的あるいは優位な位置を付与されるのか。反対に周縁や末尾に置かれるものにはどのような活動があるのか。

たとえば、国名と並んで国旗は、国フェスの会場内のいたるところに掲示される。国旗は国を代替していると一般的には考えられるが、その意味の解釈には、それが配置されている場所や、他のテクストや画、モノとの隣接関係などから、確認していく必要があるだろう。

加えて、他にどのような言語や画、モノ、音が国フェスの会場に繰り返し出現するのか。たとえば、ベトナムフェスティバルのステージ上で、日本語で進行している総合司会者が、時折「シンチャオ！」（こんにちは）と発する。これは、それが発話されるタイミングから、挨拶ではなく、合言葉のような働きを担っており、その国を持ち込んでいることの演出と解釈される。会場で販売されるビールのラベルも同様である。アンコールワット（カンボジア）やクリスト・ヘデントール（ブラジル）、自由の女神（アメリカ）のような観光名所の外観やシルエットがあしらわれたデザインが、国を表象していることもある。何が、国に変わるものとして活用されているかを見ることは、国家イメージの形成や国家と文化の結びつけられ方を探究する手がかりになる。

第二に、国フェスは一見、多様性が顕著で、混沌とした場という印象を抱くこともあるが、秩序を作り出すサインや動きが認められる。多言語・多文化が集まる公共空間において、秩序の形成や、多様性のマネジメントが明示的に、試行的に、即興的に展開されていく。そうした現象への接近が可能になる。

国フェスに集まる多様性は、当該国と開催国のヒト・モノ・コトといった単純な二分法にとどまらない。ブースエリアには、航空会社、人道支援団体、食品会

社、飲食店、工房、学校、雑貨店、高級リゾート開発を手がける企業、エンターテインメント事業などからの出店があり、幅広い業種が一同に会する場になる。また、来場者は、大臣や大使など政府の要職に就く人から、一般の人までさまざまである。統計データがあるわけではないが、国フェスの会場には、その国の出身者と日本人だけではなく、多くの国の人々が集まる。それは、日本に暮らす外国人や留学生が、同国人とだけではなく、「在日外国人」として国際的な交友関係をもっていることとも関連している。

　ステージで演目を披露するのは、国を代表するパフォーマー、プロの演者から、民族学校で学ぶ子どもたち、趣味としてその国の文化活動に参加しはじめた初心者までが含まれる。毎年、国フェスを一大行事としている人から、その日偶然に通りかかった人までが場を共にする。このように、国籍、社会的地位、職業、文化活動の熟達度、世代、背景知識、思い入れのいずれの面においても、幅のある人々が一堂に会する。大都市であればあるほど、多様性の度合いも高まる。

　このような多様性のなかでも、人々がさまざまな記号を手がかりに、秩序を形成していく様子が認められる。たとえば、政府関係者は祭りの場には似つかわしくないスーツ姿で来場する。要人を中心に、スーツ姿の数人の集団がまとまって移動する様子は、祭りそのものを楽しんでいる人々とは明らかに異なる。服装に加え、目的地に真っ直ぐ向かっていく様子からも、何が陳列されているのかを散策しながらそぞろ歩く参加者とは区別される。このように、あらゆる言語・非言語の手がかりが記号的な指標となって、国フェスの会場内で一定の共通了解や秩序を作り出していると見ることができる (cf. Goffman 1963, 1983, 2010)。このような公共空間で何が、どのような指標となって、国フェスというひとつのイベントをまとまりのあるものにしているのかといったことは、加速するグローバル化社会 (Vertovec 2007) における秩序形成を探究する上で、示唆を与えるところとなるであろう。

　第三に、国フェスを文化移転の実践例として捉えることで、文化移転を促進させたり、制限させたりするのは何なのかを探究することができる。ヒトとモノの移動が活発なグローバル化社会では、文化の越境と移転そのものが主要な研究課題となっている (Bhabha 1994; Scollon & Scollon 2003; Goldstein-Gidoni 2005; Inda & Rosald 2008; Blommaert 2010; Aronczyk & Craig 2012)。国フェスでは、伝統文化の継承や異なる文化の混淆、新しい文化の創造などが、説明を伴って実演される。各々の土地で培われた文化活動がトランスナショナルに持ち込まれ、文化的価値として提示

される（Rogers 2015）。そこには、文化の本質化や変容、それに対する人々の思い入れや葛藤などの談話が含まれる（Bhabha 1994; Rubdy & Alsagoff 2014）。

　グローバル化社会における日本文化の諸外国への伝播の研究でGuichard-Anguis（2001）は、日常生活とは乖離した伝統文化が採用される傾向を指摘する。一方、Mitra（2016）は国フェスの場が母国での文化実践を引き継ぐ重要な機会であることを確認した上で、社会的意味づけの変容に注目している。たとえば、民族衣装を着ることや信仰生活に必要な神具を入手することが、本来の意味から変わり、移住先での経済的成功度を示す機能を担いつつあると指摘する。どのようなモノとコトは関連づけられやすく、何が相互排他的な関係に置かれるのか、文化移転の談話の傾向や構造に接近することが可能になる。

　第四に、国フェスに展開されるパワー構造も探究していく必要がある。国フェスには、草の根の活動と、国家レベルの政策からの関与の双方が確認される。国フェスは、当該国のソフトパワー戦略（Nye 2004）や国家ブランド化戦略（Anholt 2007; Aronczyk 2008）とも深くかかわっている。ただし、日本政府のクールジャパン戦略（内閣府知的財産戦略推進事務局 2018）において、世界各地にすでにある民間主導の催しに政府が参画していこうとする流れを見ても、国フェスのすべてを国家のソフトパワーや、国家ブランド化の文脈で見ることは妥当ではない。

　批判的な研究例としてIwabuchi（2015）は、国家ブランド化やソフトパワーの一環として文化が紹介されることは、かつてSaid（1978=1991）が警鐘を鳴らしたように、それにふさわしいとされる一部の文化実践が優先的に選択される傾向を生み、より深奥で複雑な文化多様性への接触を妨げる危険性すらあることを指摘している。他方で、国フェスの中には、個人の思いや、小さな組織など、民間レベルの取り組みから始まったものも確認される。いわんや、こうした個々人や草の根の組織の関与なくして国フェスの継続は不可能である。すべての国フェスは、立場や分野を超えた人々の協力で成り立っている。特に、会場の近郊でエスニックビジネスに従事したり、文化活動に参加したりする人々は、国フェスの重要な担い手である。

　McDermott（2012）は、都心の公共空間で催される祭りやイベントが、移民にとって活躍の場を広げ、特に年少者にとっては自身の民族文化的なルーツを肯定する貴重な機会となることを指摘している。一方で、こうした文化イベントが移民の外来性を膠着させるとして批判的な指摘もある（Park 2011）。グローバル資本主義と広がる格差の問題（Harvey 2006）も無関係ではあり得ない。他方で、都

市公園でのイベント開催は、市民の交流とコミュニティ形成の促進を視野に入れている（国土交通省 2016）。国フェスが移民のエンパワメントに寄与するものとなるのか、それとも周縁化に加担するものとなるのか、はたまた周縁性を是正する契機となるのかは、それぞれの参加する立場や、個々の場面で何が優先されているか、何が評価されているかにもよると考えられ、丁寧な観察や聞き取りに基づいた調査が求められる（Howell 1995）。

　第五に、こうした国フェスを実現可能にさせている背景に、デジタルメディアの存在がある。デジタルメディアにより、在日外国人の集住コミュニティではない場所で、このような催しが可能になっているといっても過言ではない。国フェスの特徴や傾向を掴む上でも、インターネット、特にSNSの活用のされ方は捨象できない。国フェスにとってデジタルメディアが不可欠な存在であるのと同じように、デジタルメディア研究にとっても国フェス研究からの知見が寄与するだろう。デジタル空間とリアルな場所での国フェスがどうリンクしているのか、互いにどう埋め込まれ、相補的に発展しているのかを見ていくことは、国フェスという社会的営みを理解する上で不可欠なだけでなく、研究の方法論上の検討も要請する。

3.　　国フェスの社会言語学的研究の意義

　本節では、前節で論じた5つの観点とも関連づけ、特に社会言語学の見地から、国フェス研究の意義を論じる。文化移転に付随する言語移転・言語選択・言語混淆、当該国言語の活性度あるいは言語間の相対的な地位・勢力関係、多言語使用の相互作用プロセス、デジタル領域と対面コミュニケーションの連環、言語政策・言語計画の5点である。

　第一に、文化移転に付随して、言語移転や言語選択、言語混淆の事例研究が可能になる。国フェスは、開催地の言語とは異なる言語で実践が蓄積されているモノやコトを持ち込む場であることから、言語や文字・表記の選択、通訳・翻訳の活用、その他の表現上の工夫が見られる。楽器演奏や舞踊などでは、演技そのものに言語が介在しない場合もあるが、歌や劇などは言語がパフォーマンスの一部となる。コンサートホールなら字幕をつける選択もあるが、野外ステージや特設ステージではそのような設備を確保するのは難しい。

　元々の言語を選択すれば、その国の出身者にとっては歌や劇、そのものを楽し

んだり、望郷の想いに耽ったりする機会となる。しかし、その言語を解さない人には、内容や物語の筋が伝わらなくなってしまうし、翻訳すれば、意味は伝達されるが、その国らしさは削がれる。何語に置き換えるかという言語選択に加え、翻訳という新たな文化実践が加えられることにもなる。このように、演目内においても、演目についての紹介や説明の場面においても、言語選択や通訳・翻訳、表現の検討が必要になる。こうした文化の移動・接触・混淆・創造の諸場面に、言語がどのように介在するのか。それを決定するのは誰で、何を重視したからなのか。そうした一連の行為によって達成されるものは何なのか。これらの問いを探究する上で、社会言語学の理論や枠組みが役立つ。

　第二に、ホスト社会における移住者の言語の活性度や、言語間の相対的な地位・勢力関係などを見る手がかりとなる。移住者の言語は、送出し国と受入れ国の国際関係等にもよるが、一般的に受入れ国では、言語の地位が低いままに据え置かれる傾向にある。その言語が送出し国の国語や公用語ではない場合は、なおさらである。国フェスは、日本に暮らす外国人の若者や子ども達にとっては、継承言語が公に活用されるのを体験する重要な機会となる (McDermott 2012)。言語は情報伝達機能だけではなく、象徴的な働きも担う (Wright 2016)。国フェスには、移住者の言語の使用域を顕在化させ、結果的に移住者の言語に対するホスト社会の気づきや理解を高める可能性が期待される。

　第三に、都市のマルチリンガリズム、多言語使用の可能性と課題を探究することができる (Silverstein 2015; Rampton 2016; 福永・庄司 2020)。国フェスの会場内は、会場の外に比べれば格段に多くの言語が行き交う場所となる。開催地の言語である日本語に加え、当該国の言語は1つとは限らない。また、前節で述べたように、国フェスの会場は、その国の出身者と日本人だけではなく、さまざまな国籍と文化背景をもつ人々が集う場になっている。そこでは、当該国の近隣諸国の言語や共通言語（たとえば英語）なども行き交う。

　大都市の国フェスの会場では、複数の言語がどのように併存しているのか。もし、相互作用の過程でいずれかの言語に偏っていく傾向が認められるなら、何がそうさせるのか。どのような課題を克服すれば、多言語の併存が維持されうるのか、などを検討する事例が豊富に認められる。実際の相互作用は、言語だけで進行していくわけではない。看板や設置物、人の動きなど、非言語の手がかりもセットになって相互作用を成り立たせる。多言語公共空間の相互作用は、こうした非言語の手がかりも含めて分析していく必要がある。

　第四に、デジタルメディアと、対面でのコミュニケーションとの連環の探究ができる。週末限定で作り出される国フェスの会場に認められる秩序は、その場に居合わせた人々で即興的に作り上げられているように見えたとしても、デジタルメディアを介して、あらかじめ共有されている場合もある。特に、イベントの公式HPや、SNS上で共有、拡散される情報は、一度も経験を共有したことがない人々の間に、共通の前提や認識を広める上で有効である。国フェスの会場での言語選択や、（機械翻訳を含め）通訳・翻訳による言語間の橋渡しは、インターネット上のデジタル・フェス空間ですでに定着している可能性もある。国フェスの言語使用や言語選択は、物理的な国フェスの会場だけではなく、デジタルメディア上での言語使用や相互作用も併せて見ていく必要がある。デジタル領域とリアルな対人場面のコミュニケーションの接合は、方法論上の検討も発展途上段階にある（Hine 2000, 2015; Pink, Horst, Postill, Hjorth, Lewis, & Tacchi 2016; 木村 2018）。国フェスを事例とした研究から、方法論への貢献可能性も期待される。

　第五に、言語政策や言語計画に関連づけられる。国フェスが日本語であふれていたり、その国の言語が装飾やシンボルとしてしか用いられていなければ、そこは日本人のために作られた場という印象を来場者に与えるだろう。その国の言語ばかりが行き交っていれば、日本語話者は疎外感を覚えたり、場合によっては脅威と映るかもしれない。もちろん、通訳や翻訳により複数の言語を併用していくことも可能である。誰に伝えるために、どの言語を用いるのか、何を演出するために、どの表現を用いるのかなど、言語やコード、表現、文字の選択は、国フェスの方針や方向性にも関連する。言語の位置づけや言語選択を管理する態度や方針は、言語政策の多くがそうであるように、明文化されないままに人々の相互了解を模索しながら経験的に蓄積されている段階にあると考えられる（Cooper 1989; Shohamy 2006）。国フェスの会場に見られる秩序の形成において、言語がどのように介在するかを探究することには、多言語化する公共空間の特性を把握し、将来的な言語政策のありようを考える上での示唆を得ることが期待できる（Schiffman 1996; Blommaert, Collins, & Slembrouck 2005; Hult 2010; MaCarty 2011; Hornberger 2013, 2015）。

　個々の国フェスは、年に一度の週末に、誰でも出入りできる公共空間で行われる。主催者は、その場にまとまりや一体感を生み出そうとさまざまな工夫を凝らす。そのような工夫によるものとは別に、国フェスでは参加者どうしが互いに参照しあうことで生まれる秩序が認められることがある（Goffman 1963, 1983）。計画的なものであれ、即興的なものであれ、直接的なものであれ、間接的なものであ

れ、場の秩序形成には言語および非言語の記号が無数に関与する。

　一例を挙げれば、ステージ上の人が「みなさん、こんにちは、サバイディー！（ラオス語でこんにちは）」と呼びかければ、観客席からは（「こんにちは」ではなく）「サバイディー！」という呼応が生まれる。言葉は発しなくても、演目後の演者の深々としたお辞儀は観客席からの拍手を促す。前者は催しの始まり、後者は終わりの合図となり、席の入れ替えが円滑に行われる。

　言語化されなくても相互了解につながる行動と、言語化なしでは誤解や想定外の反応が生じる行動、言語と非言語が相互補完する場面の観察に基づく抽出は、多言語・多文化化する社会の秩序形成を探究する上で重要な示唆を与える。そこから得られた知見は、言語政策の立案や実施に役立てられることも期待される。

4.　研究の方法

　国フェスの研究に確立された方法論があるわけではない。本研究では多くの祭りの研究がそうであるように、大きくはエスノグラフィックなフィールドワークに取り組んだ。国フェスに、ひとりの来場者として参加し、参与観察をしながら資料（配布物等）を収集し、気づいたことは手帳やスマートフォンに記録し、可能な限り、その場にいる人から話を聞く。帰宅してからフィールドノーツにまとめる、といったことの繰り返しである。

　従来の祭りのエスノグラフィーと異なる点は、国フェスが開催される「場所」に注目した点である。従来の祭りのエスノグラフィーは、ひとつの祭りに注目し、祭り当日だけではなく、その準備段階に密着し、歴史を紐解き、祭りを作る人たちの意味世界に分け入っていくという方法が主流であった。しかし本研究は主に「代々木公園」という場所に注目し、同じ場所に持ち込まれる営為という観点から取り組んだ。

　場所に注目した社会言語学の研究領域に、マルチモーダル談話分析（Multimodal Discourse Analysis）、言語景観研究（Linguistics Landscape Studies）、地理記号論（Geosemiotics）がある。以下に見ていくように、これらの研究領域には重複部分も少なくない。そのひとつに、いずれもエスノグラフィックなアプローチの重要性を認めているという点がある（Blommaert & Rampton 2016）。そして、すべての視点に共通する分析上の観点として、ディスコースの概念がある。

4.1 談話（ディスコース）と記号

　本研究は、国フェスのディスコース研究に取り組むものである。ディスコース研究は、最も広くは「使用される言語の研究」（Gee 1999=2004, p.8）とされる。ディスコースの研究者は、人々の話すことや書くことを社会的行為と捉え、表現や文章のつながり方や継起順序を手がかりに理解される意味と、特定の文脈における言語の使われ方に注目する（Gee 1999=2014）。それにより、人々が何を重視し、どのように慣例的・文化的な行動を取り、どのようなアイデンティティや対人関係を示し、いかに社会的財の分布や物事と物事の関連づけを促し、どのように知の体系を構成していくかなど、コミュニケーション行為によって遂行されるさまざまな事柄を多角的に探究していこうとする。

　ディスコースの日本語への訳語として、「談話」と「言説」とがある。対人間の相互作用場面全体に見出されるディスコースを「談話」、そうした相互作用の結果として、社会的にも広く浸透するディスコースが「言説」と訳し分けられる傾向がある。とりわけフーコー（Foucault 1969, 慎改訳 2014）の流れを汲み、社会政治的なパワー構造に関連させて言及される際に「言説」が用いられる（e.g. Burr 1995）。英語でも、前者をdiscourse、後者を大文字から始まるDiscourseと区別されることもある（Gee 1999=2014）。本書では、社会的に浸透し、パワー構造の再生産に与する「言説」の働きも重視しつつも、それすらも談話実践の中で交渉される可能性があること、社会言語学領域での昨今の慣例に沿い、包括的な用語として「談話」を用いることとする。

　たとえば、報道の談話研究では、新聞記事はその内容を読者に伝えるだけではなく、語彙選択や文体、強調や焦点化などの言語的な技巧と、記事の組み立て方などが相互補完的に記事を記事らしく演出することに役立ち、それらがニュース価値の再生産を支えていることが指摘されている（Bednarek & Caple 2014）。ある出来事をどのように切り取って再現すれば報道としての価値が生まれるか、という社会的・文化的な了解によって報道は生み出され、そうした談話を用いて報道を生み出し続けることが、報道はかくあるべきという社会的・文化的な了解を強化する。

　同時に、特定の状況や場面において生み出される意味は、言語と、その場にある物や、描かれている画など、知覚可能なあらゆる刺激が結びついて成り立つことにも関心が寄せられていく。談話の研究は、言語学の領域としては、主に語用論で扱われてきたが、記号論とも相互参照されるなど、きわめて学際的に探究さ

れている（van Dijk 2006）。

　これらの議論を踏まえ、本稿で「談話」は、社会言語学および言語人類学の流れにおける広義の定義「一般的な記号作用（a general mode of semiosis）、すなわち、意味のある象徴的行動」（Blommaert 2005, p.2）を採用する。談話は、言語・非言語の両者を含め、「使用面で社会、文化、歴史的な様式と発展との関連が見られる有意味な記号活動のすべて」（同書, p.3）を含むものとする。この定義は、国フェスのように多種多様な記号が動員されている社会的出来事を分析する上で適しているといえよう。

　続く章では、分析の視点に応じて、より細分化された談話研究の手法や概念についても適宜参照していくが、ここでは中核となる3つの視点、マルチモーダル談話分析、言語景観研究、地理記号論の概要を簡潔に紹介する。

4.2　マルチモーダル談話分析（MDA）

　マルチモーダルは、複合的なモードという意味になるが、モードの概念も多義的である（van Leeuwen 2005, 2020）。文学や芸術などでモードという場合、特定の領域で用いられるモノ、素材、デザイン、スタイルなどのセットを指す。たとえばクラシック音楽のオーケストラコンサートで奏者が着る服装は決まっている。そこにTシャツとジーンズの奏者が紛れていたら、異質な演出として目を引く。言語も含め、特定の芸術ジャンルで継承されている諸事物のセットをモードと呼び、それがジャンルを特定し、成立させているともいえる。ジャンルの混淆という際にもマルチモーダルという語は用いられる。

　言語・コミュニケーション研究では、話し言葉と書き言葉、言語と非言語を合わせて分析していくことを指してマルチモーダル分析と呼ぶこともある。昨今では、そこに物や画像、動きなども含めた研究が盛んに取り組まれている。それは映画やテレビなど、文学・演劇作品の映像化と大衆化、大量消費と無縁ではない。媒体（メディア）の多様化は、先に触れたジャンルの混淆も加速させる。van Leeuwen（2020）は、ロラン・バルト（Barthes 1977）を引きながら、こうした社会過程をなぞり、現象としてのマルチモダリティがマルチモーダル分析の隆盛に先行していると考察する。

　マルチモーダル談話分析（Multimodal Discourse Analysis, MDA）（Kress & van Leeuwen 2001; van Leeuwen 2005, 2020）では、雑誌などの印刷物や看板、絵画などを中心に、テクストと画、構成、枠、色などを主な記号として、その関連性から社

会的かつ文化的意味を解釈しようと
試みるものである。そこから派生し
て建造物の設置と人の行動なども分
析の射程に収めていく。

　さっそく国フェスから一例を挙げ
てみよう。**図1-1**は2016年のブラ
ジルフェスティバルの会場で撮影し
た画像である。航空会社（ラタム航
空）のブースの壁面に白く流れ落ち
る滝の写真が印刷されており、その
上部には「イグアスの滝」と日本語
の文字が見える。記号論に多大な影
響を与えたEco（1976）であれば、
ユーモアを交えて指摘するだろうが、
これが「イグアスの滝」でないこと
は誰の目にも明らかである。イグア

図1-1：ラタム航空のブース壁面
（ブラジルフェスティバル、2016年）

スの滝の「写真」であり、出店ブースの「壁」であり、壁面に貼られた「布」で
あり、その場所は紛れもなく「代々木公園」である。

　しかし、これを見て「これはイグアスの滝ではない」と異議を申し立て、撤去
を主張する人はいないだろう。この、布に印刷され、航空会社のブースの壁に掲
げられた滝の写真は、「イグアスの滝」というテクストと、その下の航空会社名
（ローマ字のテクスト）と、上部に印刷されている航空連合のマークと結びつい
て、旅行者としてこの地を訪れる可能性を見る人に想像させる。

　さらに左に設置された扇風機から出る風が、7月の暑い東京にいる人に、この
地を訪れればおそらく感じることが約束されている涼風を伝える。視覚に入る情
報だけでなく、肌が感じる温度や、肌に受ける風が一連の記号となって、将来、
ブラジルへの旅行者となることを連想させる。少なくとも連想させようとしてい
る、航空会社による一連のしかけであることが了解される。

　多言語公共空間において、テクストは読まれるかもしれないし、読まれないか
もしれない。読まれない場合でも記号となり何らかのメッセージを伝達しうる。

　エスニックレストランと総称される東南・中央アジア、中東、南米、アフリカ
などにルーツをもつ料理を提供するレストランでは、その国や地域の言語が意味

伝達というよりは異国情緒や異民族を演出するために用いられていることが確認される。英字新聞が店の壁や包装紙のモチーフとして用いられるのも、西洋風を演出する効果が期待されていると考えられよう。ただしどのような記号的意味が生み出されているかについては、行き交う人々の言語的・文化的背景と知識が多様な都市部では無限の可能性を孕む（Blommaert 2010）。

　媒体とその素材も記号となる。テクストや画が刻まれるのは、石、木、金属、紙などさまざまである。それらは単に記号をのせる媒体としてだけでなく、それ自体が記号となって他の諸記号を権威づけたり、流動性を示したりする。MDAの方法論的な検討においてConstantinou（2005）は、こうしたテクスト等を物理的に運ぶ媒体（media）と素材（material）について、モード（mode）と等しく注目することの重要性を指摘している。

　たとえば、博物館や美術館において、書き言葉による説明と対面でのやりとりを含むガイドによる解説は、その博物館や美術館の社会文化的意味を明らかにするMDAの分析対象となろう。同時に、説明文が何に書かれているのか、アクリル板なのか木板なのか紙なのか、といった媒体の素材も展示の重厚感や先端性などの印象効果に一役買っている。その他にも記号論的な要素として、その説明文の書体や文字の大小、色彩、アイコンやマークなどとの組み合わせ、空間や間の使用、実際に指し示す展示物との関係、掲示物が一切ない空間との境界などもMDAの分析対象に含みうる。

4.3　言語景観研究

　道を歩いていて自然と視界に入る看板や標識に、何が何語でどのように書かれているかは、私たちの社会の言語使用の諸相を投影している。あるいは目的をもって訪れた場所の案内や説明書きに、人々は足を止める。複数の言語で書かれている看板を前に、自分にとって馴染みの言語を見定めるのは造作ないことである。じっくりと読む言語は1つであったとしても、最初の一瞥で何種くらいの言語があり、言語による情報量の差や、その位置関係はある程度把握される。多言語表示は複数の言語話者に情報を伝達するだけでなく、そこに採用された言語とされなかった言語の間、および採用された言語間の当該社会における勢力関係を期せずして表す（Shohamy, Ben-Rafael, & Barni 2010）。

　このように、掲示物は、設置された場所において、書かれた内容を人々に伝達するだけではなく、時に伝達し損ね、さらには人々の流れや停滞を作り出したり、

本来意図していない意味を伝えたりと、さまざまな社会・文化・言語・記号論的な作用をもたらす。

言語景観研究（Linguistic Landscape Studies, LLS）は書き言葉という言語学的な分析を中核にすえながら、近年、その記号論的、文化的、社会的意味について探究する新たな展開を見せている。そうした視点の複合性から、方法論上の検討についても議論が活性化している。

言語景観研究が対象とするものには、職人が製作する商業的価値のあるものから、書家などが創作する芸術的価値のあるもの、一般の人が作成する手書きの張り紙のようなものまで幅広く含まれる。「案内板、道路標識、安全標示、店舗の看板、落書きなどあらゆる種類の公共空間における記述」すなわち「公共に可視な書き言葉」（Blommaert 2013, p.1）を対象とした研究を指す。公共空間に提示される書き言葉の研究は、文字の歴史と同じくらい古くからあるとの指摘もあるが（クルマス 2009）、昨今のこの研究対象への関心の高まりは大量記憶媒体と画像・映像記録とその編集技術が進歩し、簡易化されたことが関連している。言語景観研究によって明らかにできる事柄は、これからも広がることが予見されるが、主に以下が挙げられてきた（Landry & Bourhis 1997; 庄司・バックハウス・クルマス 2009; Blommaert 2013）。

1.　特定の共同体および場所における各種言語の存在。その言語間の優勢・劣勢関係や機能分化、言語接触による混淆。
2.　国や共同体の言語政策上の価値観（たとえば多言語主義か、単一言語主義かなど）が言語使用面と一致しているか、乖離しているかの指標。
3.　国や共同体、地域の識字レベルや書き言葉文化の洞察、言語教育政策の成果測定や妥当性の検証のための資料。
4.　国や地域に横断的に表れる社会変容（たとえばグローバル化や都市化と過疎化、格差社会化など）を現象的に確認する素材、その兆候や傾向の抽出。

上記は、言語景観研究が接近しうる諸相の一部を列挙したに過ぎないが、Blommaert（2013）は、特に近年においては、都市化とグローバル化によって高度に多言語化する場の言語景観データの社会言語学的分析が、社会地理学、都市研究、人類学、社会学（とりわけ普及学）などの研究課題にとっても有用にな

ると述べている。

　さらにBlommaert（2013）は、言語景観研究がもたらす社会言語学上の認識転換の可能性についても指摘する。場と言語の関連に迫る、一見類似した伝統的アプローチに言語地図がある。たとえば、方言地図は場という概念を分析枠組みとして活用してきた（cf. 国立国語研究所 1966=1975; 徳川 1993）。その調査プロセスは、観測地点を定めるものの「話者」に視点を置いたものであり、どのような表現をする人が、どこに生活しているのかといった観点に立って地図上に境界線が引かれる。すなわち、場の観念は副次的かつ結果的なものとなる。

　一方、言語景観研究は「場」を前景化する。場に設置されているテクストが、その場に出入りする人々にどのような作用を及ぼすのか、あるいは書かれたものが存在する場に人々はどのように参加・退出するのか、包摂・排斥されるのかといった観点である。

　すなわち、「誰」がそのような掲示をするのか、誰にそうした掲示を出す正当性や権威が付与されているのか、といったことも言語景観研究の関心事のひとつとなりうるが、同時に発信主体を離れて相互作用に関与するテクストという見方も取りうる。公共空間にあるテクストは、人が作り出し、設置するものであると同時に、設置された途端、発信者の手を離れてそれ自体が人々を「管理」しはじめる（Blommaert 2013, p.4）。このように考えると、実は管理されるのは情報の受け手だけではないことに気づかされる。この場ではこのような言葉使いと文字と構成（デザイン）で掲示することが適当であるという規範意識を共有させるという意味において、すでに設置されている掲示物は掲示の書き手すらも管理していると考えられるのである。言語景観研究は公共性についての実証研究の一領域としても期待が寄せられる（Aubin 2014）。

　このように社会言語学の他の学問分野への貢献可能性も期待される言語景観研究であるが、その方法論的な検討は端緒についたばかりである（Spolsky 2009）。東京都心部の環状線である山手線沿線の言語景観研究に取り組んだBackhaus（2007）は、量的アプローチを代表する言語景観研究のひとつであるが、質的な言語景観研究を発展させることで「公共空間の記号論的構成」（p.60）を明らかにしうると指摘している。

　Spolsky（2009）は、言語景観研究をめぐる方法論上の見解の不一致について、そもそも「景観」という言語景観研究が冠する術語の定義づけがなされないままであることに起因すると指摘する（p.75）。確かに「景観」という以上、全体を俯

瞰する視点がどこかに含まれている必要があろう。「景観」というと視覚を伴う概念であるが、公共空間に広く存在する言語という比喩表現であると考えれば、アナウンス放送や音声ガイダンスなどの声、BGMなどの音も含むべきとの指摘もなされている (Lamarre 2014)。こうして拡張していく言語景観研究は、先に紹介したMDAとの相互参照が活発になされるようになっている。

4.4　地理記号論

地理記号論（Geosemiotics）という用語は、Scollon and Scollon（2003）の *Discourses in Place: Language in the Material World* の中で提案され、「記号（体系、semiotic systems）と物質世界の接点」に関心を寄せるとしている。Scollon and Scollon（2003）による定義は以下の通りである。

> *geosemiotics* - the study of the social meaning of the material placement of signs and discourses and of our actions in the material world.
>
> （Scollon & Scollon 2003, p.x）

具体的な分析の手順や着眼点において、地理記号論もMDAを参照しており、重複部分が多くある。テクストと記号の隣接関係、構成、看板などの素材、色使いや空白や余白などへの注目は一致している。両者の違いは、MDAが文化表象に注目するロラン・バルトにその系譜を置いているのに対し、地理記号論は相互作用論などに影響を与えたアーヴィン・ゴッフマンの流れに重きを置いている。前者が記号体系の解釈から、ジャンルの生成や変容を見るのに対し、後者は人々の社会行動を説明することに関心を寄せていると区別することができよう。

たとえば、掲示物がそこに存在していることで、人々がどのような動きを作り出すのか。その際、近くにいる他者の存在や動きも、記号となって人々の行動を誘う。そのように人々の相互作用が生み出され、交渉されながら徐々に定着し、行動様式としての文化が育まれる。その過程を紐解くことが地理記号論の研究課題となる。また、Scollon, R.（2001）、およびScollon and Scollon（2004）、Scollon, S. W.（2015）は、行動のつながり（nexus）を形成する概念として、場のディスコース、相互作用秩序、歴史的身体の3つを提唱する（第7章で詳述）。

社会実践の場に作り出されるコミュニケーション秩序について、世界的に人気の高い観光地であるイタリア、ピサの斜塔における事例研究を通して、Thurlow and Jaworski（2014）は世界各地から来る観光客が瞬時のうちに「公共的文化」（p.469）を共有することに注目している。それは、この観光拠点が自ら演出したり、誘引したりするものも含まれるが、それだけではなく隣接する土産物店、ガイドブック、ひいては過去にこの地を旅行した人々が個人的経験としてSNSに掲載する記事等によって再生産され続ける。最も典型的な例として、ピサの斜塔が倒れないよう支えているかのように撮影した画像の掲載がある。多様な言語的・文化的背景をもつ観光客は、初めてその地に立つ人どうしであっても、相互に参照しあい、複合的な表現とそのはたらき（すなわち談話）を了解し、その積極的な参加者として談話の再生産に寄与するのである。

　Thurlow and Jaworski（2014）はピサの斜塔にある順路や禁止事項を示した掲示物によって観光客が一定の行動を取る側面も確認した上で、観光客が積極的に談話に参加する点に注目している。そして、両者間の相互作用によって観光客独自の行動様式（tourist habitus）（p.484）が生み出されるとし、それをグローバルコミュニティが生み出す行動様式の一例と捉えている。Thurlow and Jaworski（2014）の考察において注目すべき点は、情報の発信者と受信者という対峙関係から離れ、両者が共に談話を作り出していく相互作用性にあるといえよう。

5.　　本書の事例研究の位置づけ

　国フェス研究の社会的な意義について、国家イメージ、相互作用と秩序形成、文化移転、パワー構造、デジタルメディアの5つの観点から、国フェス研究の社会言語学的な意義について、文化移転に付随する言語移転・言語選択・言語混淆、当該国言語の活性度あるいは言語間の相対的な地位・勢力関係、多言語使用の相互作用プロセス、デジタル領域と対面コミュニケーションの連環、言語政策・言語計画の5つの観点から論じた。さらに本書が基盤とする方法論上の視点として、談話の概念を紹介し、「場」の談話を分析する研究領域としてマルチモーダル談話分析（MDA）、言語景観研究、地理記号論を紹介した。

　国フェスの研究は、談話分析や言語景観研究など、社会言語学の方法を用いて、社会言語学的な問いに答えることもできる。また、社会言語学の方法を用いて、社会学、その他の隣接学問が掲げる問い（たとえば、国家ブランド化やメディアの分析など）を明らかにすることも可能である（Fairclough 2003）。また、他の学問領域の方法（たとえば、インタビュー法や観察法）を用いて、社会言語学的な

		研究課題	
		社会言語学	社会学・文化人類学・政治学等
方法論	社会言語学	A （第5章・第7章）	（第4章）	B （第3章）
	社会学・文化人類学・政治学等	C （第6章・第8章）	D

図1-2：国フェスの研究課題と方法論

研究課題に迫ることも可能である。それらの組み合わせを示したものが、**図1-2**であるが、国フェスの社会言語学的研究は、上記のA、B、Cのいずれかにあてはまるもの（網掛け部分）を広く含むものと考える。

　本書の第3章以降が事例研究となるが、それぞれの章が、A〜Cのどのセグメントに該当するのかを図中に示した。第3章では、国フェスのチラシのMDAにより、国フェスとはどのような社会的営みであるかを探る。第4章では、言語景観研究を用い、国フェス会場での国名・地名の用いられ方を分析する。第5章ではメインステージでのトークショーを事例に相互作用の談話分析から、「通訳が欠落する場面」を詳細に見ていく。第6章では、ブースで展開される活動に参加した際のフィールドノーツをもとに、当該国の言語が文化資本として活用される事例を紹介する。第7章では、地理記号論に基づき、ステージで当該国・地域のマイナーな言語で共に歌うことを促す、多言語シンガーの楽曲間トークの談話を分析する。新型コロナウイルス感染症対策を講じて開催された国フェスを紹介する第8章では、「新しい日常」における相互作用の秩序に書き換えを加えるプロセスを考察する。

　このように、さまざまなテーマを多種の手法で分析していくが、多様性が価値づけられ、国際理解が推進され、日本に暮らす外国人のエンパワメントに寄与する国フェスおよび多言語公共空間のありようを追究することを第一義的な目的として取り組むものとする。

私が国フェスに
惹きつけられる瞬間

インド人フォークアーティスト
の所作

　フェス文化を語る際に、必ず引き合いに出されるものに、1969年にアメリカ、ニューヨーク州で開催されたWoodstock Music and Art Festivalがある。以降、世界各地で生まれては消え、消えては再生が試みられる野外フェスを、何らかの共通項で捉えようとすると、たちまち迷宮に迷い込む。

　それでも野外フェスに共通して志向される価値に、自然との調和、人間らしさへの回帰、自由な参加スタイル、ゆるやかなライフスタイルの提案などが挙げられる。そこから、フェスを楽しんだ後は片付ける、ゴミの分別を確実に行う、リサイクルや環境と身体にやさしい取り組みの提案などが連鎖的に生まれていく。

　翻って、自然との調和や人間らしさへの回帰に結びつく実践を、東京のど真ん中で開催される国フェスに期待するのは難しい。ただ野外に露店が並ぶだけなら「青空マーケット」と呼んだ方がふさわしいのではないかとさえ思う瞬間もある。──それでも、代々木公園イベント広場で国フェス調査を続ける。気になる出来事に足を止め、声をかけ、話を聞き、記録する。

　「ナマステ・インディア 2016」。物販エリアも飲食エリアも、鮮烈な色彩であふれかえっている。多民族・多言語国家であるインドの祭りなのだから、当然のにぎわいである。

　その中で、簡素なテント内、赤土色のキャンバスに白い絵の具で絵を描いている人を見た。一心不乱に描いているというわけでもない。時折、手をとめ、身体をほぐす。また絵に向かう。

なぜか声をかけることがためらわれる。

一旦その場を離れ、会場を一周する。呼び込み、説明、手渡されるチラシ、喧噪。

戻ってくると、彼は変わらずに絵を描き続けている。穏やかにゆったりと。それなのに、なぜか声がかけられない。まるで、そこだけポッカリ時の流れが止まっているようだ。

実地調査を終えてから、彼が描いていた「ワルリー画」についてインターネットで調べる。ナマステ・インディアの実行委員長である長谷川時夫氏が館長をつとめるミティラー美術館（新潟県十日町市）には、ミティラー画やワルリー画といった、「インドのコスモロジーあふれる豊かな民族（俗）芸術」が所蔵、展示されている（長谷川1988）。ワルリー画とは、「インド西部のマハーラシュトラ州ターネー県に居住する先住民族ワルリーによって描かれる壁画」とある。米をすりつぶし水で溶いた絵の具と竹の筆で描く。

急速な経済発展と都市化が進むインドでは、フォークアーティストといえどもゆったりとした時の流れの中で創作活動に取り組むことが難しい。ミティラー美術館は、濃緑の森にある、今は廃校となった小学校を活用し、イ

ワルリー画を描くシャンタラーム・ゴルカナさん

ンド人フォークアーティストに暮らしと創作の場を提供している。ナマステ・インディアの会場で目にした画家は、そこに暮らすアーティストだったのである。

なぜ穏やかに絵を描くインド人画家に声をかけがたく感じたのか。目が離せなかったのか。そこだけ時が止まっているように感じたのか。その理由が分かった気がした。

「この質感が結実していればフェスである」と括ることはできない。あるのはただ磁場である。東京都心の国フェス会場には、めまぐるしい都市生活も、ゆるやかな人間性への回帰も集める磁場が生じている。

第**2**章

調査の手順と
国フェス事例の
概要

開催の趣旨と経緯

ラオフェス開催のきっかけを作った高等学校のブース（ラオスフェスティバル、2017年）

1.　はじめに

　本章では、実地調査に着手するまでの手順と、実地調査を行った国フェスの一覧を示す。続いて、それら15件の国フェスについて、開催の経緯から今日に至るまでの沿革を簡単にまとめ、そこから見出される国フェスの特徴を論じ、本章のまとめとする。なお、調査は催事当日だけではなく、事前の下調べから、催事終了後の継続的な情報収集や聞き取りまで、断続的に取り組むものである。この一連がフィールドワークとなるわけだが、催事当日に限定されることを述べる箇所では「実地調査」という用語を用いて区別する。

2.　調査の手順

　まず、これまでインタビューに協力していただいた在日外国人や、勤務校で知り合う留学生からの情報も頼りにしながら、インターネットで、首都圏で開催される国フェスの情報を収集した。多くの国フェスは公式サイトや公式SNSを開設しており、催しの案内や出店者の募集、実施報告書、過去の催事の様子等を掲載している。これらに目を通し、実行委員会の構成、催事の趣旨や目的、次回の開催予定日等を一覧にまとめた。

　この段階は、予備調査となるが、昨今、急激に発展しているデジタル・エスノグラフィーの手法も参考に、データ収集と合わせて調査視点の書き出しを行った (Kelly-Holmes 2015; Pink, Horst, Postill, Hjorth, Lewis, & Tacchi 2016)。こうして整理した国フェスのデータから、日程も考慮し、実地調査に赴く国フェスを選定した。

　実地調査は、実行委員会に対し、一般参加者に許されている範囲で写真・動画の撮影、ランダムな聞き取り、観察や参加、配布物の収集等を実施したいと申し出て行った。誰でも出入りが自由な国フェスでの参与観察の申し出に対する実行委員会の反応はまちまちで、報道関係者が付帯するプレス証をつけての調査となることもあった。その場合であっても、会場にはプレス証をつけている人々は一定数おり、そのことが参与観察をする上で、大きく影響したと感じる場面はなかった。

　また、国フェスの会場に持ち込まれるモノ・コトを識別するために、催しが行われていない平日の昼間に、会場となる場所の観察調査を行った。代々木公園（東京都渋谷区）、増上寺（東京都港区）、日比谷公園（東京都千代田区）、山下公

園（神奈川県横浜市）の4箇所である。これは、筆者が担当するゼミのフィールドワーク演習を兼ねて行うこともあった。国フェスには大量のモノ・コトが持ち込まれるため、特に初めてのフィールドワークでは、どこをどう見ればよいのか戸惑う。フィールドワークの経験が浅い場合には、平日の公共場のフィールドワークは良い訓練にもなるだろう。

　国フェスの当日は、言語景観調査（Backhaus 2007; Shohamy, Ben-Rafael, & Barni 2010; Blommaert 2013; 猿橋 2016a, 2016b）、参与観察、ランダムな聞き取り、配布物の収集を実施した。参与観察は、事前に抽出された着眼点があれば、それも視野に入れつつ、かつ、それらに縛られすぎないように一般参加者の流れや盛り上がりに沿って、興味深いと感じた出来事に注目するなど、流動的に行った。ランダムな聞き取りとは、あらかじめ質問項目を準備しているわけではなく、会場で起きる出来事について、気になったことや分からないことを可能な範囲で周辺にいる人に質問することである。観察や聞き取りで得られた情報は、フィールドノーツにまとめた（Emerson, Fretz, & Shaw 1995=2011; 佐藤 2006）。実地調査では、たとえば人だかりができていて、その群衆のひとりに「何をやっているんですか？」と質問すると、相手が「さぁ、私も分かりません」と応じることもある。フィールドノーツには、そういったやりとりも含めていく。

　国フェスの会場では、めまぐるしく人が動き、次々と出来事が展開されるため、1時間程度を目安に会場を離れ、静かな場所で情報を整理し、改めて入場するなどの工夫をした。ブース設営・準備を含む午前中、開会式などの式典が組まれている日中、夕方では来場者の層も大きく異なる。掲示物にも変化が見られる。そのため、参与観察は長時間にわたって行うよりも、小刻みに巡回する方が全容を掴むのに適切であると判断した。

　多くの国フェスでは、開催中もSNSへの投稿の呼びかけ、アカウント登録等による特典の付与など、デジタル領域との関連づけが頻繁に行われる。また、公式HPや公式SNSには、ステージパフォーマンスのリアルタイムの進捗状況やプログラム変更の案内等が次々と投稿されていく。Hine（2015）がE^3（イーキューブド）と表現したように、インターネットは、毎日（everyday）の社会生活に埋め込まれ（embedded）、人々の経験に身体化されて（embodied）いる。かつて仮想空間として、実際の社会行動と峻別されていたデジタル空間は、その境目がなくなりつつある（Hine 2000, 2015）。Pink（2007）もエスノグラフィー調査で、オンライン・オフラインを別物として扱うことの限界を指摘している。そこで、

実地調査終了後にも公式サイト、SNSの通読とメモ書きは継続した。

　調査を通して、つながりが生まれたり、研究課題の着想を得たりした国フェスは翌年も継続して調査を行った。そこから派生して、近隣の県で開催される催事の情報を得ることもあった。それらにも可能な範囲で足をのばした。

　調査地の一覧は**表2**の通りである。代々木公園で開催された国フェスについては、10件の国フェスで延べ17回の調査を実施した。代々木公園以外の会場のものについては、5件の国フェスで延べ6回の調査を実施した。

　表は、国フェスの歴史が古い順に並べ、一番左に番号を付した。「歴史」欄には第1回が開催された年を入れ、2021年2月現在の時点で活動の継続が見られないものには最後に開催された年も記入している。ただし、国フェスは毎年継続して開催されるとは限らないため、それは必ずしも国フェスが「閉鎖された」という意味ではない。フェスティバル名の右には、筆者が赴いた調査日、それが何回目のフェスティバルに該当するか（開催回）を付した。代々木公園以外のものには、一番右の欄に会場名を付している。

　なお、主な調査地とした代々木公園を例にすると、国フェス等のイベントを開催できるのは、野外ステージを擁するイベント広場（10,000㎡）と、その脇のケヤキ並木（9,000㎡）である（東京都公園協会公式HP）。大規模な催事は両方を会場とするが、それぞれの区域で、まったく関連のない国フェスが同時開催ということもある。ただし、来場者も関係者の多くも、この二つの区域を明確に区別しておらず「（会場は）代々木公園」と称されることがほとんどである。催事がない平日であれば、合わせて10分程度で一巡できてしまう程度の広さである。

3.　国フェスの概要

　表2の国フェスの概要と特徴を以下にまとめる。内容は、国フェスの公式HPと実施報告書の記述に、実地調査で確認した事柄を含めている。なお、参照したURL等の資料一覧は引用文献リストの末尾に掲載した。

〈1. ナマステ・インディア〉

　1993年、日本企業のインド進出を促進させることを視野に入れ、「インドを丸ごと知る」文化交流イベントとして東京都千代田区の日本商工会議所ビル内で初開催された（長谷川2018, 2019）。以降、墨田区役所に会場を移して継続され、2001

表2：調査地一覧

代々木公園（東京都渋谷区）

No.	歴史	フェスティバル名	調査日	開催回
1	1993〜	ナマステ・インディア	2016年9月24日・25日	第24回
2	2006〜	ブラジルフェスティバル	2016年7月16日・17日	第11回
3	2007〜	ラオスフェスティバル	2017年5月27日・28日	第7回
4	2008〜	ベトナムフェスティバル	2016年6月11日・12日	第8回
			2017年6月10日・11日	第9回
			2018年5月19日・20日	第10回
			2020年11月6日・7日	第12回
5	2014〜	アイ・ラブ・アイルランド・フェスティバル	2017年3月18日・19日	第4回
			2018年3月17日・18日	第5回
6	2014〜18	おいしいペルー	2017年7月29日・30日	第4回
7	2014〜18	コートジボワール日本友好Day アフリカンフェスティバル	2016年6月25日・26日	第3回
			2017年8月5日・6日	第4回
8	2015〜	カンボジアフェスティバル	2016年5月7日・8日	第2回
			2017年5月3日・4日	第3回
9	2016〜	台湾フェスタ	2016年7月30日・31日	第1回
			2017年7月29日・30日	第2回
10	2016	アラビアンフェスティバル	2016年9月10日・11日	第1回

代々木公園以外

No.	歴史	フェスティバル名	調査日	開催回	会場
11	2003〜	ディワリ・イン・ヨコハマ	2016年10月15日・16日	第14回	山下公園（神奈川県横浜市）
12	2004〜	One Love Jamaica Festival	2016年8月6日・7日	第13回	日比谷公園（東京都千代田区）
13	2009〜	日韓交流おまつり	2015年9月26日・27日	第7回	日比谷公園（東京都千代田区）
14	2013〜	ミャンマー祭り	2015年11月28日・29日	第3回	増上寺（東京都港区）
			2016年11月26日・27日	第4回	
15	2015〜	ベトナムフェスタ in 神奈川	2016年10月29日・30日	第2回	神奈川県庁舎ほか（横浜市）

年から2004年までは、築地本願寺で開催。特に2002年は日印国交樹立50周年記念事業として大規模化が模索される。本堂をメインに野外ステージも設営され、前年（2001年）、文化勲章を受章した社会人類学者の中根千枝氏による講演会などのプログラムが話題を呼んだ。

　筆者が調べた限りで、都内の公共空間を会場とし、不特定多数の人々が参加可能で、かつ今に継続されている最も古い国フェスである。2004年に一度中断されるが、2005年からは、NPO法人日印交流を盛り上げる会が主幹となり、代々木公園を会場に移して2019年まで継続されている。

　現在は、ナマステ・インディア実行委員会、NPO法人日印交流を盛り上げる会、インド政府観光局の三者の共催で、「知・衣・食・文化・経済を含む豊かで多様なインド文化を体験できる楽しい一大イベント」と銘打たれている（ナマステ・インディア 2020）。インド各地の食べ物や舞踊、音楽、フォークアート等が紹介されるが、日本文化として毎年、アイヌ古式舞踊がプログラムに組み込まれているのも特徴的である。

　本部のインフォメーションブースには、東京都江戸川区で開催される東京ディワリフェスタ西葛西や、横浜の山下公園で開催されるディワリ・イン・ヨコハマ（No.11）のチラシも置かれている。他地域のインド関連の催事との連携があることから、在日インド人コミュニティに根ざしている様子が窺える。

　2020年は、11月28日、29日に第28回ナマステ・インディアの開催が予定されていた。この時期は、政府および東京都によるコロナウイルス感染症予防対策のためのイベント開催制限期間（第8章で詳述）に該当しており、国フェスに限らず野外イベントの開催は判断が分かれていた。ナマステ・インディア実行委員会は、感染症対策の徹底は難しいと判断し、10月11日に公式HP上で中止を発表した。

〈2. ブラジルフェスティバル〉

　主催は在日ブラジル商工会議所（CCBJ）である。2006年に第1回が新宿区、明治公園で開催された。翌2007年から会場を代々木公園とし、2019年まで毎年開催されている。ブラジル料理の屋台、ブラジル関連商品の物販などが行われる。ステージ上ではサンバやボサノヴァなどラテン音楽の演奏が続く。音楽以外のステージ演目は抽選会の当選者発表のみで、開会式や閉会式などの式典がないのもブラジルフェスティバルの特徴といえる。

　会場で配られるプログラムはいたってシンプルである。会場内の地図とステー

ジのタイムテーブル、ワークショップのプログラムが掲載されているだけで、開催の趣旨や主催者の挨拶文などはない。同様に、公式HPもシンプルで画像が中心の構成である。過去の記録のアーカイブ化も行われていない。

　以下は、2016年のフェスティバル終了時に、在日ブラジル商工会議所の公式HPに掲載された「開催報告」からの抜粋である。毎年、同じ形式で、固有名詞を入れ替えて、日本語とポルトガル語の二言語で発信されている。

　　この度は在日ブラジル商工会議所主催の第11回ブラジルフェスティバル2016にご協力くださりありがとうございました。同フェスティバルはブラジルと日本の結びつきを深めるイベントとして開催されており、今回はパウラ・リマやジャー・リーヴィのライブにブラジルの人気漫画『トゥルマ・ダ・モニカ』のキャラクターショーも行われました。出演アーティストやご出店・ご来場いただいた皆様に感謝申し上げます。
　　ブラジルフェスティバルは、三井物産、カタール航空、ヴァーレ、ラタム航空、CAIXAブラジル連邦貯蓄銀行、ブラジリカ・グリル、サンシントレーディングのご協賛、駐日ブラジル大使館、日本国外務省、東京都のご後援を得て開催されました。
　　　　　　　　　　　　　　　　　　　　　（在日ブラジル商工会議所 2016）

　注目・人気のプログラムに触れ、出演者と出店者、来場者、協賛企業、後援団体への謝辞が述べられている。国フェスの主たる関与者が端的に示されている。音楽を中心とした文化紹介と、私企業間の交流の場を提供することに比重が置かれている。2020年はコロナ感染症予防対策の観点から、開催は見送られた。

〈3. ラオスフェスティバル〉
　2007年、第1回ラオスフェスティバルが開催された。第2回は、その3年後の2010年、2012年に第3回が開催され、2014年から2019年までは毎年開催されている。開催のきっかけは、日本の高等学校の国際交流活動で、このような開催経緯は、国フェスの中でも独特である。
　さくら国際高等学校東京校では、1996年から、ラオスに学校をつくることを主たる目的としたボランティア活動を継続させている（さくら国際高等学校東京校 n.d.）。活動の一環として、生徒達はラオスの一般家庭にホームステイする機会もある。そうした交流がきっかけとなり、「ラオス文化紹介のためのボランティア

活動イベント」として、ラオスフェスティバルが開催されることになった。

　実行委員会事務局は、さくら国際高等学校東京校に置かれ、生徒達も積極的に参加している。保護者らもバザーを開いたり、ボランティアとして参加したりしている。フェスティバルで得られた収益は、ラオスの学校建設に充てられる。このように、ラオスフェスティバルは、高校生の体験的な学びの機会と、本国に暮らすラオス人との交流を活性化させる役割も担っている。

　他方、ラオスに暮らす人々と交流をもつことと、東京でラオスフェスティバルを開催することとの間には大きな隔たりもある。以下は、第1回の終了時に、公式HPに掲載された挨拶文からの抜粋である。後援団体、協賛企業、ステージ出演者、出店者への謝辞の後で、東京でラオス文化コンテンツを集めることが困難であったことが記されている。

　　　……フードコーナーでも美味しい料理が評判でした。しかし都内はもちろん、日本国内でラオス料理専門店を探すのは困難です。ラオス出身のレストランオーナーやラオス出身のシェフのいるお店もタイ料理をメインに出しています。このような状況から、今回はタイ料理レストランのみなさんにラオス料理を振舞っていただきました。一見「タイフェス？」と思われた方もいらっしゃると思いますが、ラオスの料理はタイ北部のイサン料理とほぼ同じです。……

　　　　　　　　　　　　　　　　　　　　　　　（ラオスフェスティバル 2007）

　在日ラオス人の料理人は、タイレストランで職を得ていたり、店主であったとしてもタイレストランと看板を掲げて営業している。そのため、ラオス料理を提供してもらうためには、出店団体名はタイレストランとなった経緯が述べられている（第4章でベトナムフェスティバルを事例に類似の状況に触れる）。ここに、国フェスを実現するためには、日本に暮らす当該国出身者の文化活動やエスニックビジネスの基盤、認知度、活性度が重要であることが窺える。

　2020年は第10回の開催、および日ラオス外交関係樹立65周年という節目の年でもあり、5月30日、31日に開催を予定していたが、延期の決定が4月3日にラオス大使館からなされた。2021年は5月の開催に向け、ぎりぎりまで調整が続けられたが、ラオスの感染症の状況も鑑み、現在はオンラインイベントを含め延期日未定となっている（2021年4月現在）。

〈4. ベトナムフェスティバル〉

　2008年、代々木公園で第1回ベトナムフェスティバルが開催された。開催の目的は、実施報告書に以下のように記されている。

　　　2008年に外交関係樹立35周年を迎え、ますます進展する日越関係をさらに飛躍させるため、ベトナム大使館と共催し、日本に於いてベトナムの料理・文化・経済等さまざまな交流を行い、両国親善のさらなる発展に寄与する。

（ベトナムフェスティバル2008実行委員会 2008, p.4）

　発端は、外交関係の周年行事という位置づけだったこと、日本におけるベトナム紹介という性質をもっていることが記されている。日本とベトナムそれぞれを代表して、日本側は政治家の松田岩夫参議院議員（当時）が、ベトナム側はグエン・フー・ビン駐日大使（当時）が実行委員長に就任した。2019年まで日本側は松田氏が、ベトナム側は駐日大使が実行委員長を務めている。日・ベトナム経済連携協定（2009年〜）も背景に、年々規模が大きくなっている。二国間関係が重視されている国フェスといえよう。2020年については、第8章で詳述する。

〈5. アイ・ラブ・アイルランド・フェスティバル〉

　2014年、第1回アイ・ラブ・アイルランド・フェスティバルが開催された。セント・パトリックス・デー（3月17日）は、アイルランドでクリスマスと並んで盛大に祝われる祭日である。東京でも、1992年から、時期を合わせ、代々木公園にほど近い原宿・表参道でセントパトリックスデーパレード東京が毎年週末に行われている（Irish Network Japan 2012）。この、パレードの日程に合わせて開催されるようになったのが、アイ・ラブ・アイルランド・フェスティバルである。

　パレードは、表参道を車両通行止めにして大々的に行われる。表参道にはアイルランドの国旗がはためき、シンボルである緑色に包まれる。フェスティバルはパレードとも連動しており、出発や開始、終了や到着は、随時アナウンスされる。開会式または閉会式などのセレモニーも、パレードに合わせて組まれている。

　フェスティバルは、実行委員会、在日アイルランド商工会議所、駐日アイルランド大使館の三者が共催している。アイルランドに関連した食品や物品を売るブースが並び、文化体験ができる場が設置され、メインステージと小型の特設ステージではアイルランドの歌や楽器演奏、踊りが上演される。

フェスティバル名称から、アイルランド愛好家のためのイベントであることが
明確に示されている。アイルランド人のためのお祭りや、アイルランドを祝う祭
りではなく、アイルランドやその文化に関連するものを愛好する人々の広い参加
を促している。来場者に推奨されているのは、何か緑色のものを身につけること、
である。

　特に2017年は、日本とアイルランドの外交関係樹立60周年ということもあり、
この回以降、フェスティバルは土曜日と日曜日の2日間開催となった。2020年
は3月14日、15日に予定されていたが、新型コロナウイルス感染症の拡大を鑑み、
中止となった。中止の発表は、2020年2月27日に公式HP上でなされた。コロ
ナ禍の影響を最初に受けた国フェスである。

〈6. おいしいペルー〉
　2014年、日本とペルーの外交関係樹立140周年を記念して、第1回おいしい
ペルーが代々木公園で開催された。主催は在日ペルー人協会（ASPEJA）で、ペ
ルー大使館の推奨を受けている。在日ペルー人協会は、2013年に在日ペルー人
の日本社会への融合を目的に設立された。それまでは小規模なペルー人団体が各
地にあったのだが、それらを統合する形で発足した（エスカラ 2014）。こうした在
日ペルー人コミュニティのまとまりを促す機運も、フェスティバル開催の契機と
なった。

　フェスティバルの目的は、「ペルー料理や文化を広く日本人に知らせること」
とされ、ペルー料理レストランのブースが並ぶ。来場者は受付で綴り式の食券を
買うため、ブースで現金のやりとりは行われない。舞台では、日本在住のペルー
人アーティストによるダンスや民族音楽の演奏が続く。2017年のフェスティバ
ルは15,000人の来場者で賑わったと報告されている（International Press en Español
2017）。2018年以降は開催されていない。

〈7. コートジボワール日本友好Dayアフリカンフェスティバル〉
　2014年、第1回コートジボワール日本友好Dayが開催された。同年、FIFA
ワールドカップがブラジルで開催されたのだが、日本の初戦の対戦国が、コート
ジボワールであった。それをきっかけに、ひとりの在日コートジボワール人が仲
間に呼びかけ、国際親善イベントを開催することになったという。

　開催のきっかけはサッカーワールドカップであったが、フェスティバルの中心

に据えられたのは音楽だった。「野外フェス文化」が音楽ジャンルから生まれた
ことを考え合わせると、自然な成り行きにも見える。野外音楽フェスは時に積
極的に既存の常識や規範を無視し、音楽文化内の細分化されたジャンルの境界
を取り払う（Merkel 2015; Partridge 2006）。自由を求め、混淆的創造を生み出す営み
が、特に若い世代を惹きつける。この、サブカルチャーとしての野外音楽フェ
スは、1969年にアメリカ、ニューヨーク州で開催されたWoodstock Music and
Art Festivalに代表されるように、西欧を発祥とし、広くアジアにも広がった（Li
& Wood 2016）。この広がりは、音楽文化の商業化や、観光誘致のための戦略的資
源化とも密接につながっている。

　コートジボワールの音楽と食を紹介することを目的に開催された第1回、第2
回に続き、第3回（2016年）には「コートジボワール日本友好Day」に続けて
「アフリカンフェスティバル」が催事名に加えられ、広く西アフリカ諸国の出身
者に呼びかけて開催された。なお、2018年の第5回フェスティバル以降は開催
されていない。

〈8. カンボジアフェスティバル〉
　2015年、日本・カンボジア友好条約締結60周年を契機に、第1回カンボジア
フェスティバルが代々木公園で開催された。詳細な報告書が、実行委員会によっ
てまとめられている（カンボジアフェスティバル実行委員会2015）。
　開催の経緯は、在日カンボジア大使より、カンボジアフェスティバルを開催
したいとの「依頼」を受け、特定非営利活動法人在日カンボジアコミュニティ
（CCJ）の代表が発起人となったとある（伊佐2016）。開催のための会議は、カン
ボジア大使館で行われ、CCJが主催、在日本カンボジア王国大使館、在日カン
ボジア留学生協会、有限会社BMIの共催という運営体制となった。報告書の最
終頁には、実現のための連携と努力が、今後の発展可能性への期待（筆者による下
線部）も込めて、次のように綴られている。

　　初めてのフェスティバル開催であったため、全体的に問題点が多くありまし
　　た。例えば、開催日程の決定、実行委員会の体制作り、役割分担、広報資料
　　の意見多数のため、予定納期より大幅に遅れたり、連絡不足で誤解が生じた
　　りしました。また、伝達が不十分で会計が大幅にずれるなど、多くの方にご
　　迷惑をかけたことも現実です。しかし、一人一人が自分の仕事に責任を持ち、

必死に努力したのも、事実です。一人で何役もこなし、懸命に徹夜までして頑張ったことで、実行委員の心が一丸となったことを肌で感じました。今回の反省点は、今後改善できることです。大切なのは、仲間意識がどれだけ共有できるか、理解があるかだと思います。そしてこの報告書には、今後のためのヒントが、沢山あるはずです。

（カンボジアフェスティバル実行委員会 2015, p.22、下線は筆者）

　ここには、実行委員会内部で意見調整や連絡など、コミュニケーション上の諸課題があったことが示されている。都会の大型公園で開催される国フェスは、草の根の努力が可視化されにくい一面もある。しかし、国フェスは、現場で運営を担う人々の熱意と努力で支えられていること、国フェスを無事に終えることで、新たに連帯感や仲間意識が生まれることが確認される。

　2020年は5月3日、4日に開催が予定されていたが、3月19日付で開催延期が公式HP上で発表された。

〈9. 台湾フェスタ〉

　台湾フェスタは、2011年に初開催を予定していたが、東日本大震災により中止となった。そのため、2016年の第1回台湾フェスタは念願の開催となった。

　上野恩賜公園（台東区）で開催される台湾フェスティバル（2015年〜）や東京タワー（港区）の下の特設会場で開催される東京タワー台湾祭（2017年〜）と混同されがちであるが、別の催しである。正式名称を「台湾フェスタ in 代々木公園」としている。在日華僑の二世・三世、ニューカマー台湾人、日本人で構成される台湾フェスタ実行委員会が主催、日本華商総会が共催となって運営されている。催事の目的は以下の通りである。

　台湾の観光や産業、芸能・文化・美食など様々な魅力を体験し、味わい、感じてもらうことで、さらなる国際親善と日台交流を推進すること。

（台湾フェスタ実行委員会 2019）

　会場では、日が暮れるのに合わせランタンが灯り、お祭りらしい雰囲気が醸し出される。

　2020年は開催されていない。「おうちで台湾2020」というキャッチフレーズ

のもと、12月中旬から下旬にかけて、料理教室や台湾産品（果実やビール）紹介などの映像がオンライン配信された。

〈10. アラビアンフェスティバル〉
　2016年9月に開催されたアラビアンフェスティバルは、1回限りの開催となった。前年12月に実行委員会から発表されたプレスリリースには、以下のように開催趣旨が述べられている。

　　中東地域、イスラム、といえばISの影響もあり日本ではよくわからない、怖い、などマイナスなイメージが先行していますが、そんなイスラム地域のことを食やエンターテイメントを通してまずは知ろう！といったことで開催の運びとなりました。

前年（2015年）にはイスラム過激派組織ISIL（Islamic State, 通称IS）による日本人誘拐殺害事件が起きており、そうした国際情勢から生じる否定的な印象を払拭することが目的のひとつとして掲げられている。クラウドファンディングで資金を募り、ラクダを会場に連れてくるなど、目を引く企画もあった。しかし、このフェスティバルは第1回以降、継続されていない。
　継続されない直接の理由となったかは不明だが、終了直後、公式Facebookには日本語と英語で、「アラブ文化を正しく伝えていない」との匿名の抗議が寄せられた。日本語では3,000字におよぶ投稿からの抜粋が以下である。現在、この公式Facebookは削除されている。

　　……今回我々は聖なる犠牲祭、イードの日に開催される「アラビアンフェスティバル」というイベントの存在があることを知りました。最初、我々はそのイベントに対して日本人がさらにアラブの文化と雰囲気を知るための良い機会である、という認識をもっていました。ですが、我々はこのイベントが"アラブ"の名を冠するのにアラブの文化とまったく関係がないという事実を知り大きなショックを受けました。それどころか、アラブ人を侮辱し、一般のアラブ人に対して悪い印象を日本の方々に対して与えるとんでもないイベントとなっています。まずこの「アラビアンフェスティバル」では"東方のセクシーダンス"ことベリーダンスと合わせて多数のアルコール飲料が提

　供されます。これは日本人に対してアラブ人は自身の本能的欲望とアルコールを飲む欲求に対して忠実であると誤解をさせることになるでしょうし、欧米社会がアラブに抱いており拡散してきた間違ったイメージをそのまま拡散したものであると言えます。……

　冒頭にある「犠牲祭、イードの日」とは、イスラム教の二大祭日のひとつイード・アルアドハーを指す。イスラム暦12月の巡礼月の10日目に巡礼者が羊を屠り家族と祝うことから「犠牲祭」と呼ばれる。このイスラム教にとって特別な日に、図らずも、イスラム教では禁忌とされる女性が肌の露出を多くして踊るベリーダンスや、アルコールの販売を伴うフェスが開催され、それが「アラブ人を侮辱し」、「日本人を誤解させる」との抗議につながったようである。

　この抗議文には、宗教であるイスラムと、言語によって規定される民族を示すアラブの同一視が見られるが、イスラム教徒にとって特別な日に開催されたことから、疑念や不快感に拍車をかけたことが読み取れる。実際の会場では、イスラム文化やイスラム教に配慮したブースも出店していた。ハラル食材やハラル化粧品を販売するブース、ワインの代わりに純度の高い葡萄ジュースを提案する店舗、ハラルのスイーツ店、ノンアルコール飲料のみの販売とする屋台などである。

　他方、国フェスにはつきものの文化圏の緩やかな広がりも見られた。トルコやギリシャ、モロッコなど、地中海地方の料理を提供するレストラン、羊肉から連想されて日本のジンギスカン料理店も出店していた。これらのブースではビールをはじめとするアルコール飲料も提供されていた。このように、隣接して、あるいは連想されて飛び石のように拡張していく異文化の参加は、どの国フェスでも多かれ少なかれ見られる（第4章で詳述）。アラビアンフェスティバルへの抗議は、「フェス文化」として横断的に見たときには「よくある」ことが、特定の宗教や民族にとって許しがたい逸脱と認識されてしまった例といえよう。

〈11. ディワリ・イン・ヨコハマ〉
　ディワリとは、一般的にはヒンドゥー教の新年を祝う祭りで、「光の祭」とも訳される。同時に、シーク教徒にとっても、ジャイナ教徒にとっても宗教的な祝日であり、宗教的な意味合いはそれぞれに違いがあっても、インド人にとって家族や近親者の健康と絆を確かめる期間になるという。
　横浜市は、日印貿易の拠点として古くからインド人コミュニティが形成され

た歴史があり、ムンバイとは1965年に姉妹都市提携を結んでいる。ディワリは、かねてよりインド人コミュニティによってコミュニティ単位で祝われてきたが、2003年から山下公園を会場にディワリ・イン・ヨコハマが開催されるようになった。地元民はもちろん、県外からも人が集まり、インド文化で華やぐ週末となる。昼間はインド料理、食材や雑貨の販売、ダンスや音楽のステージパフォーマンスなど、人々が思い思いに楽しむが、夕刻になるとキャンドルを灯したパレードが行われ、横浜周辺に暮らすインド人コミュニティの祭りという印象が際立つ。

　2019年はマハトマ・ガンジー生誕150周年にあたり、盛大に祝われた。2020年は10月24日、25日を予定していたが、中止の旨が9月23日付で公式Facebookに掲載された。

〈12. One Love Jamaica Festival〉
　会場は代々木公園、日比谷公園、お台場、葛西など、年によって変更になる。2016年はお台場と日比谷公園で年に2回開催された。レゲエ音楽の愛好家が集まる音楽フェスとして始まったが、現在はジャマイカ料理やジャマイカ産の食材、雑貨など、ジャマイカ文化を広く楽しめる催事となっている。ジャマイカ大使館や政府観光局の出店もある。

　ここ数年、開催されていなかったが、名古屋で2016年から始まったジャマイカフェスティバルが、2019年に代々木公園で初開催された。One Love Jamaica Festivalとは何のつながりもなく、フェスティバル名が似ていたことから、SNSを中心に困惑の声があがった。こうした声を払拭するかのように、2020年は東京と名古屋の2会場で再始動が予告されていた。いずれも新型コロナウイルスの影響を受け、オンライン開催も検討されたが実現せず、延期とされている。

〈13. 日韓交流おまつり〉
　日韓交流おまつりは、日韓国交正常化40周年にあたる2005年にソウルで始まった。2009年からは日韓両国（ソウルと東京）で開催されている。主催は実行委員会だが、駐日韓国文化院が拠点となっている。日本の文化庁が特別協力として入り、後援には日本の外務省、韓国の外交部をはじめ公的組織が、協賛には数多くの企業が名を連ねる。

　開会式等の式典には、両国の政治家が列席し、日韓二言語で作成される事業報

告書からも、国家のソフトパワー戦略としての位置づけが窺える。第1回（2009年）から第3回（2011年）までは六本木ヒルズアリーナ、2012年は新宿文化センター、2013年以降は日比谷公園が会場となっている。

　2020年は、オンライン開催となり、9月26日に駐日韓国文化院の公式YouTubeチャンネルでLIVE配信がなされた。K-popダンス教室、日韓の音楽家による共演、クイズ大会、あらかじめ募集されたK-popコンテストの結果発表等が行われた（日韓交流おまつり2020実行委員会 2020）。このような大がかりなオンラインイベントを開催できるのは、多目的ホール（ハンマダンホール）を擁する駐日韓国文化院の存在が大きい。

〈14. ミャンマー祭り〉

　1980年代から2010年頃まで強権的な軍事政権を逃れて、多くのビルマ人が日本に生活の地を求め（田辺 2008）、彼／彼女らが暮らす東京都新宿区の高田馬場駅近辺は「リトル・ヤンゴン」とも呼ばれるようになる。

　日本の工場や飲食店などで生計を立てざるを得ない人が少なくない中、エスニックレストラン経営、自助グループ、文筆活動等を通して、在日ビルマ人コミュニティの結束と相互扶助に尽力する人々も現れる（猿橋 2013; Saruhashi 2018）。その過程で祭りも内発的に求められ、日比谷公園で開催される東京ダジャン祭り（水かけ祭り）は2017年には26回を数え、少数民族単位のお祭りも無数に開催されていった。このような在日ビルマ人コミュニティの祭りの形成過程からみると、2013年から開始されたミャンマー祭りは、民主化や高度経済成長という新たな国際関係の文脈の中で生まれた催事ということが分かる。

　第1回ミャンマー祭りは、ミャンマー祭り実行委員会、駐日ミャンマー大使館、公益財団法人浄土宗ともいき財団、NPO法人メコン総合研究所の四者が主催となり、東京タワーにほど近い増上寺の境内を会場に開催された。ミャンマー祭り開催の目的は第1回から変わらず、実行委員会規約に以下のように定められている。

　　ミャンマー祭り実行委員会規約　第2条
　　実行委員会は、同じ仏教国として、日本とミャンマーがこれまで以上に交流を深め、真のミャンマーの姿を分かち合うことで、ミャンマーの持続的な発展を支援することを目的に、市民参加による「ミャンマー祭り」の企画・運

営を行うものとする。　　　　　　　　　　　（ミャンマー祭り実行委員会 2015a）

　第2回の2014年は日本とミャンマーの外交関係樹立60周年にあたることから、2日間の開催に規模が拡大された。ナマステ・インディアの会場がしばらく築地本願寺であったように、寺社の境内が国フェスの会場となることに前例がないわけではない。しかし、ミャンマー祭りのプログラムに「お寺で『ミャンマー祭り』をする理由」（ミャンマー祭り実行委員会 2015b）と題する座談会が組み込まれたところから、少なくとも増上寺にとって、寺で異国の祭りを開催することは特殊なことと認識されていたことが窺える。

　座談会は、浄土宗ともいき財団とミャンマー祭り実行委員会の役員を兼務する二人の僧侶による対談であった。浄土宗ともいき財団とは、1914年に地域社会への貢献を目的に設立された財団法人である。ミャンマーとの関係については、2004年から寺子屋設立支援事業を展開している。座談会は、冒頭で「ひとつの国や地域を象徴する規模のお祭りのほとんどが、大きな公園で開催されるのが一般的」であると前置かれてはじまった（ミャンマー祭り実行委員会 2015b）。

　2020年は、当初5月30日、31日に予定されていたが、新型コロナウイルスの感染症拡大に伴い、一旦11月21日、22日に延期された。しかし、ミャンマー祭り実行委員会は、7月22日付で「来場者や出店者、関係者の安心・安全を最優先に」する観点から開催中止を発表した。本稿執筆中の2021年2月1日、国民民主連盟（NLD）を率いるアウンサンスーチー国家顧問はじめNLD幹部が軍に拘束されたとの報道がなされ、国際社会が騒然とした。いまだ解決の糸口は見えず、ミャンマー祭りの公式HP、公式Facebookともに2021年は、一切の更新、投稿はなされていない（2021年2月現在）。

　なお、ミャンマーは1989年、当時の軍事政権が国名をビルマからミャンマーに変更した。それに伴い、国の公用語の日本語での呼称もビルマ語からミャンマー語に改められていくようになるが、従来通りビルマ語と称されることも少なくない。2つの呼称が併存しており、いずれを取るかは、これまでの慣例に倣うという立場から、政治的な立場表明を含むものまでさまざまである。そこには国家（名）と言語（名）の密接な関係性が垣間見え、詳細に分析していく意義がある。しかし、本書では政治的議論に分け入ることは控え、フィールドワークの現場で見聞きした呼称をその都度採用していくこととする。

〈15. ベトナムフェスタ in 神奈川〉

2015年より、横浜市の神奈川県庁本庁舎を中心に、日本大通り、象の鼻パークの一部を会場に開催されている。実行委員会は神奈川県、神奈川県商工会議所連合会、かながわ国際交流財団など、神奈川県内の公的な組織が名を連ねる。ベトナム側は、ベトナム航空日本支社、KVSS かわさきベトナム人留学生支援会が加わっている。

2017年、神奈川県の黒岩祐治知事は、ホーチミン市で毎年開催されている日本観光展「Feel JAPAN in Vietnam」を訪れた。その際、これまでの交流の積み重ねが「ベトナム・県双方における投資や観光の促進」につながっていると報告している（神奈川県 2017）。2018年からは、神奈川県は「ベトナムフェスタ in 神奈川」だけでなく「KANAGAWA FESTIVAL in VIETNAM」をハノイで開催するとし、毎年、運営団体を公募して実施している。

「ベトナムフェスタ in 神奈川」は、例年9月または10月に開催されているが、2020年は日程が決定される前の4月30日に、公式 Facebook 上で、コロナ禍を受け開催しない旨の発表が日本語とベトナム語でなされた。

〈16. その他の国フェス〉

実地調査を行うことができなかった国フェスも多々ある。まず、こうした「外国文化紹介」のイベントを、移住者コミュニティの祭りでもなく、博覧会や見本市でもなく、短縮形で言い表される「フェス」に分類するきっかけとなったタイフェスティバル（通称、タイフェス）を含めることができなかった。タイフェスを事例に含まなかったのは、日程上の都合がつかなかったことと、他の東南アジアの国フェスを多く見ることができたことによる。

また、ヨーロッパについてはアイ・ラブ・アイルランド・フェスティバルのみとなった。スペインをテーマとする、フィエスタ・デ・エスパーニャも代表的な国フェスのひとつである。2013年、日本スペイン交流400周年をきっかけに、民間のスペイン愛好家らが始めた。開催当初はフードフェスの色合いが濃かったが、徐々に広く文化活動を含めるようになっている。7回目を迎える2020年は11月21日から23日にかけて、感染症対策優先で開催された（第8章で簡潔に触れる）。

アフリカを掲げた催事として、横浜赤レンガ倉庫を会場とするアフリカン・フェスティバル・よこはま、アフリカヘリテイジコミティーにより各地で開催されるアフリカヘリテイジフェスティバルなどがある。前者は、2016年の開催以来、

ガーナ出身で楽器店を経営するコフィ・エドウィン・マテ氏が実行委員会の委員長を務めている。後者は、ガーナ出身のトニー・ジャスティス氏が主催している。日本に暮らすアフリカにルーツをもつ子ども達の文化伝承、日本人との相互理解を目的に各地でフェスティバル、イベント等を開催している。

　また、フィリピンフェスティバルも、大規模化がめざましい。かつて日比谷公園で開催されていたが、近年は会場を代々木公園に移している。ほかにも、今回の調査地として含めていないが、東京都内では上野恩賜公園（台東区）、東京湾に面する台場エリア等でも国名を冠した大小さまざまな催事が開催されている。

4.　国フェスの傾向と特徴

　筆者が実地調査に出向いた15件の国フェスについて、簡単に概要を示した。開催の経緯も規模の大小もそれぞれである。現在、継続されていない国フェスも、休止の後に復活した国フェスもあり、毎年開催されることは、決して当たり前のことではないことが分かる。以下、これらの催事を横断的に見たことで、浮かび上がる傾向と特徴をまとめる。

①公的機関主導と草の根主導

　政府や地方自治体など、公的機関が主導となり、トップダウン的に始動・組織される国フェスと（たとえば、ベトナムフェスティバルや日韓交流おまつり）、個人や民間が発起し、草の根的に始められる国フェス（たとえば、ラオスフェスティバルやコートジボワール日本友好Dayアフリカンフェスティバル）がある。市民レベルの交流から着手されたものの中でも、ラオスフェスティバルのように、日本の高校、一校の国際支援・交流活動から始まり、継続されている国フェスは特別な例といえよう。

　そして、2009年頃から、草の根主導型の国フェスにも公的な関与が一般的になっていく。公的な支援は、国フェスの定式化と定期開催を促す。まず、準備から完了までの手順が定式化する。実施報告書の作成と公表など、公開性が高まる。過去の記録のアーカイブ化も同じ様式で行われるようになる。ただし、依然、運営には草の根の努力や、在日外国人コミュニティのネットワークが不可欠である。そして、国フェスを成功させることが、彼／彼女らの相互協力と結束力を高める機会にもなる（たとえば、おいしいペルーやカンボジアフェスティバル）。

2009 年以降も、個人の熱意や、日本に暮らす当該国出身者による組織が発起する国フェスもあるが、公的支援を比較的容易に受けられやすくなっている。これは国名を冠したフェスティバルの認知度が高まり、その価値が広く共有されてきたことを示していよう。国フェスは、それぞれの国のソフトパワー戦略の一部となることが期待され、定期開催と大規模化が志向されるようになる。大規模化に伴い、在日外国人コミュニティや有志だけに運営を頼ることが難しくなると、イベント運営会社に委託する比重が高まる。そこには、もちろん良い面や、そうせざるを得ない事情もあるのだが、国フェスが互いに似通ったものになっていくのは、こうした背景も関連しているだろう。ただし、どのような運営形態になったとしても、さまざまな文化活動が集められること、すなわち多様性が豊かさとして価値づけられていることを確認しておきたい。

②国フェス間の競合と連携

国フェス数の増加に伴って、国フェス間に競合関係が生じることがある。当然、同じ国名を冠したフェスティバルは混同されやすい。類似の国フェスは協力関係を築ける場合と、競合関係を生み出す場合とがある。競合関係が生じた場合、互いに別物であることが強調される（たとえば、One Love Jamaica Festival とジャマイカフェスティバル）。類似の国フェス間で取られる差別化戦略のひとつに、催事名がある。「フェスティバル」、「フェスタ」、「祭り」といった類義語内での区別もなされるが、それだけでは十分ではない。加えて、フェス名に会場名を加える方策が取られる（たとえば、台湾フェスタ in 代々木公園と東京タワー台湾祭）。このようにして、年によって会場を変えてきた国フェスは、毎年、同一会場で同じ時期に開催されるようになる。

地域を越えた連絡が機能している国フェスもある。25 回以上の開催歴をもつナマステ・インディアでは、他のインド関連の祭りの案内がインフォメーションブースに置かれている。これは国フェスの関係者間に連絡しあう関係があることを示している。

類似の催事が競合関係となる理由のひとつに、互いが知らないうちにイベントが発足し、インターネット上に設けられた連絡窓口などに、問い合わせや指摘が寄せられることが発端となる事例が見られた。別の催事と混同している投稿者のコメントは、その内容にかかわらず不意打ちとなる。そういった想定外の出来事が「それはうちではありません」といった防衛の姿勢につながる。デジタル化は、

誰もが催事の情報を得て参加することを可能にしているが、人的ネットワークによる連携や相互協力を弱める一面もある。

③エスニックビジネスと文化芸術活動の活性度

　国フェスを成立・充実させる重要な要素として、日本における当該国文化の蓄積と活性度がある。国フェスには、本国から出演者が招かれ、それがメインのプログラムとして大々的に告知され、注目されることもある。しかし、国フェス会場で人々が過ごす一定の時間内で、擬似的にとはいえ、その国らしさへの没入感を感じることができるかどうかは、日本に暮らす当該国出身者の文化活動が会場周辺の地域で広く深く展開されているかにかかっている。

　日本の高校生達が中心になって作り上げているラオスフェスティバルでは、開催当初、日本でラオス関連のビジネスや文化活動を展開する人たちの層が十分でないことが、フェス開催において最も難しい課題だったと報告されていた。国フェスに限らず、フェス文化は「愛好家」達で作り上げられる空間であり、必ずしもその国のルーツをもっているかどうかは参加の要件とはならない。しかし、国フェスを協力的で活気のある空間にするには、日常的な同国人コミュニティの結束力や、エスニックビジネスの層の厚さ、多様な文化活動の継続に多くを頼ることになる。

④本国の祝祭や宗教行事との連動

　本国の祝祭や宗教行事との連動には、細心の注意を払う必要がある。今回、調査を実施した国フェスの中で、その国の祝祭行事に合わせて開催されているのは、ディワリ・イン・ヨコハマとアイ・ラブ・アイルランド・フェスティバルであった。ディワリ・イン・ヨコハマは、本国の祝祭を持ち込む営為であるから、国フェスというよりも移民の祭りに近い特徴が認められた。アイ・ラブ・アイルランド・フェスティバルは、セント・パトリックス・デーの東京パレードに付随して始まっている。これらの事例には、国フェスと移住者コミュニティの祭りの積極的な、あるいは意識的な接続を見ることができる。

　対照的に、アラビアンフェスティバルは図らずもイスラム教徒にとっての祝日にあたってしまった。イスラム教への配慮を欠く内容に抗議の声があがったのは、この日程上の重なりと無関係ではない。国フェスが、当該国の行事や祝祭日に合わせて開催されれば、より深くその国の文化を知る機会になるかもしれない。一

方で、多民族・多宗教の国や地域を掲げた国フェスが、特定の民族や宗教の祝日に開催されると、一部の参加者に特別な意味が付与される可能性もある。その国の広い文化コンテンツを紹介するという趣旨であれば、本国の特定の祭りや行事にあえて紐付けしないという調整もありうる。

　国フェスの主催者や運営機関は、必ずしもその国の出身者で構成される必要はない。特定の文化（音楽、スポーツ、舞踊、食べ物など）の愛好家が催しを発案しても構わないだろう。しかし、誰が運営を担うにしても、その国の文化、宗教、慣習について広い知識と配慮をもってあたることの重要性が確認される。

5.　本章のまとめ

　このように、事例収集の面で不十分さはあるものの、15件の国フェスを横断的に見ていくことで、4つの特徴と傾向を抽出した。第一に、開催に至る経緯と運営面において、草の根的に取り組まれる国フェスと、公的機関が主導で取り組まれている国フェスがある。ただし、2009年頃から、民間主導のものであっても公的な支援を受けることが一般的になっている。公的な支援は、フェスの定期開催を安定させる。実行委員会の負担を減らすためにも、公平性や透明性を高めるためにも業務委託契約は有効である。他方で、国フェスが相互に似通っていくのは、こうしたこととも関連していると考えられる。運営形態がどのような形になったとしても、多様性が豊かなこととして価値づけられている点は、開催目的や主催者挨拶に述べられていることを確認しておきたい。

　第二に、国フェスの認知度の高まりとオンライン化に伴い、国フェス間の関係が複雑になっている一面がある。人と人とのネットワークが機能している場合、異なる場所で開催される同じ国を掲げた催事の情報も行き来する。他方、オンライン領域への依存度が高まると、必ずしも人的つながりによらずとも、広範かつ瞬時の情報伝達を可能にする。こうした情報共有、情報伝達の結果、場合によっては脅威、競合関係に陥る催事もあることを指摘した。

　第三に、多様なエスニックビジネスと文化活動の蓄積が、国フェスの基盤を支えていることを指摘した。国フェスでは、本国から招かれたビッグアーティストに注目が集まりがちであるが、それ以上に会場周辺地域のエスニックビジネス、文化活動の厚みと広がりに依存している。そして、日頃から集住コミュニティに根付いて営業を行っているエスニックレストランの参加は、彼らが日本で営業す

る中で培ってきた味、信頼、ネットワークも持ち込むことになる。国フェスの成功や発展は、この点にかかっているといっても過言ではない。

　第四に、本国の祝祭や行事との連動によって、期待される文化コンテンツや、その意味づけが変わりうることを指摘した。特に宗教的な行事や風習との関連づけには、細心の注意を払う必要がある。多民族、多言語、多宗教の国や地域を掲げる国フェスについては、なおさらである。国フェスは、その国の文化ルーツをもっていなくても、その国に愛着をもっていたり、何らかの文化活動に関与していたりすることで、国籍やルーツに関係なく運営に深くかかわっていくことができる。それでも、その国についての広い背景知識をもってあたること、催事を通して学び続けていくことが、国際理解の促進はもとより、修復の難しい誤解を避けるためにも重要である。

　現在、新型コロナウイルス感染症の拡大によって、国フェスのありようが大きく変わりつつある。2020年はほとんどの国フェスが開催を断念した。首都圏では、政府や都県がイベント開催のガイドラインを提示した後でも中止を決断する国フェスが多かった。そこには、安全を確実に確保することの難しさ、経費面、準備期間なども関係している。加えて、本国からアーティストを招致できないこと、物品輸入にも通常より時間がかかっており、食材や雑貨類の品薄状態が続いていること、エスニックレストランや文化活動団体は、経営、存続自体が困難になっているという深刻な事情も聞かれた（第8章で詳述）。本章では、国フェスの傾向・特徴について、国フェスを横断的に見ることで論じたが、いずれも今後の国フェスの実践、展開の中で変化や調整が見込まれる事柄である。草の根の活動と公的支援の調和の取れたかかわり、国フェス間の協調的な関係構築、エスニックビジネスと文化活動の活性化、本国の祝祭や行事との関連づけ。これらのいずれもが、「新しい日常」あるいはポストコロナの国フェスのありように深くかかわっている。

公式ホームページの
多言語設定

複数言語による情報伝達と
各言語の存在感

　公式HPは、チラシ（第3章）と並んで国フェス開催前の情報提供と、経年の国フェスの記録と記憶をつなぐ重要な媒体となる。

　国際機関やグローバル企業の公式HPの多くは、言語ごとにページが用意される多言語サイトとなっている。多言語サイトは、組織や社会の多言語化や多言語主義を尊重・重視していることの指標ともいえる。

　次頁の表は、実地調査を行った15件の国フェスについて、公式HPの多言語設定をまとめたものである。多言語設定の有無と、言語の数が多い順に並べている。言語ごとにページが用意されている多言語サイトは15件中8件だった。カンボジアフェスティバルは、日本語、クメール語、英語の3言語から選択可能である。ほかの7件は2言語で、日本語と当該国言語の組み合わせが6件、日本語と英語の組み合わせが1件だった。言語を切り替える際のアイコンもさまざまで、多言語が用意されているサイト8件のうち、4件が国旗マークをクリックすることで言語が切り替わる。言語が国家と記号的に結びつけられる具体例といえる。

国フェス公式HPの多言語設定

フェスティバル名	言語設定	言語の種類	切替アイコン	メモ
カンボジアフェスティバル	有	日本語 クメール語 英語	言語名	
ナマステ・インディア	有	日本語 英語	言語名	
ラオスフェスティバル	有	日本語 英語	言語名	英語はトップページのみ
日韓交流おまつり	有	日本語 韓国語	言語名	
ブラジルフェスティバル	有	日本語 ポルトガル語	国旗	
ベトナムフェスティバル	有	日本語 ベトナム語	国旗	
アイ・ラブ・アイルランド・フェスティバル	有	日本語 英語	国旗	
おいしいペルー	有	日本語 スペイン語	国旗	画像が主、情報量少
台湾フェスタ	無	日本語 中国語 英語	—	中国語（装飾）、英語（バナーのみ）、共に限定的
コートジボワール日本友好Day アフリカンフェスティバル	無	日本語 英語	—	情報量少、SNSを活用、2017年まで言語設定有
One Love Jamaica Festival	無	日本語 英語	—	画像が主、情報量少
ベトナムフェスタ in 神奈川	無	日本語 ベトナム語	—	ベトナム語は限定的（代表者挨拶のみ）
ディワリ・イン・ヨコハマ	無	日本語	—	公式SNSは英語が主
ミャンマー祭り	無	日本語	—	
アラビアンフェスティバル	無	日本語	—	

内容を見ていくと、言語ごとにページが設定されていることと、情報量の充実度は別の問題であることが分かる。言語ごとのページが用意されていても、当該国言語のページには情報がほとんど掲載・更新されていない国フェスもある。反対に、言語ごとにページが分けられていなくても、同一ページ内に情報が複数言語で掲載されている国フェスもある。その中には、ほぼ日本語読者を想定しており、当該国の言語は装飾的に用いられているに過ぎないものから、常に2言語で併記され、両言語の読み手を想定しているもの、内容ごとに採用される言語が異なるものなど、特徴に差が認められる。

　留意すべきは、言語ごとにページが用意された多言語サイトでないからといって、必ずしも情報が1言語でしか発信されていないとか、理念が単一言語主義的であるとはいえないということである。ページを言語ごとに分けてしまうことで、一方の言語のページに情報がほとんど掲載されなくなるならば、言語でページを分けずに必要と思われる内容を必要な言語で掲載していった方が、情報の共有という意味でも、複数言語の存在を見えやすくさせる意味でも、有効な場合もある。

　他方で、情報に偏りの見られる多言語サイトの場合、当該国言語のページが用意されているということは、その言語を等しく位置づけようとした態度の表れであろうから、用意はしてみたものの、翻訳や更新が追いつかず、日本語の情報に偏っていったのだろうと思われる。どのような条件が揃ったときに、2言語での情報発信が維持され、何をきっかけに片方の言語に偏っていくのか。そうした推移は情報の受け手にどのような印象を与えるのか。デジタル領域についても、エスノグラフィックな調査に取り組む余地がある。

第3章

国フェスの
チラシの
マルチモーダル
談話分析

A4紙一枚に凝集される
国フェス

来場者が最初に立ち寄る本部・インフォメーションブース（ナマステ・インディア、2016年）

1.　はじめに

　本章では、国フェスのチラシを題材として、国フェスとは何なのか、どのように表現されているのかについて、マルチモーダル談話分析（以下、MDAとする）の手法を用いて見ていく。続く第2節では、チラシが国フェスでどのように用いられているかを、紙媒体とデジタル媒体の両者についてまとめ、MDAにおける談話の視点と分析の手順を紹介する。続いて、チラシを横断的に見た結果を示す。国フェスのチラシの中には、数多くの記号が用いられている。広告やチラシのように、受け手の行動を促す目的をもつ印刷物の中の記号は、幾通りもの解釈に開かれている（Cameron & Panović 2014）。そのため、丁寧にMDAで見ていけば、紙一枚のチラシの分析が何ページにもわたることになるため、ここでは、特徴的な事例に限定して見ていく。さらに、社会言語学上の関心に特化した分析として、チラシ上の多言語使用を見ていく。特に、当該国の言語が、どのように用いられているかを分析する。最後に、チラシのMDAから見える国フェスの談話の特徴をまとめる。

2.　チラシの社会的機能と談話

　国フェスのチラシは、開催前は近隣の町内掲示板に貼られたり、郵送されたり、関連する広報誌に掲載されたり、差し挟まれたりする。チラシの一般的なサイズはA4判だが、同様のデザインが大判に印刷されポスターとして掲示されることもある。A4判の紙に印刷されるチラシは、パネルや木板などの媒体に比べると廉価で、流通させやすいが、他の紙類や郵便物に紛れてしまう、廃棄されやすいなどの短所もある。

2.1.　チラシの社会的機能

　チラシはかつて、紙に印刷されて撒かれるものであったが、今ではデジタル活用も一般的である。公式HPやSNSに公開されたチラシは、拡散が呼びかけられる。紙媒体のチラシが掲示されたり、撒かれたりするのと、機能的には同じである。催事のチラシは紙であれ、デジタルであれ、開催前に広く人々の目に触れることになる。ただし、紙媒体とデジタル媒体では、誰の目に触れるのか、どこに注目が集まるのか、廃棄の過程など、辿る道筋は大きく異なる。

事前にデザインされ、印刷され、配布される国フェスのチラシは、その国フェスがどのようなイベントなのかを伝える。その重要性は以下の光景からも窺える。日韓交流おまつりの公式HPには、準備段階の動画が掲載されている。その動画には、開催日の2ヶ月以上前に、駐日韓国文化院の大会議室に委員達が集まり、異なる5つのキービジュアルのデザイン候補について、プレゼンを聞いた後に、採決で1つに絞り込み、拍手をもって決定される過程が記録されている（駐日韓国文化院 2020）。このキービジュアルは、催事前にはチラシ、ポスターに、催事の当日はステージの背景、演台、会場内掲示の至る所に、終了後は報告書の表紙として用いられる（日韓交流おまつり実行委員会 2015）。

　紙媒体のチラシは、催事当日に出店ブースに配布される場合もある。会場内には、それぞれ思い思いの掲示が見られる。一番目立つところに掲示するブースもあれば、段ボールなど資材の目隠しとして使われることも、敷物の代わりに用いられることもある。フェス会場でさまざまにチラシやポスターが活用されるのは、この日を境に活用できる場所がなくなるからである。残部は廃棄されるので、可能な限りの有効活用が試みられる。その結果、人々は同じデザインを国フェスの会場でも繰り返し目にすることになる。

2.2　チラシと国フェスの談話

　Kress and van Leeuwen（2001）は、文化人類学者マリノフスキーの影響を受けた言語学者、ハリデイが提唱した選択体系機能言語学（Systemic-Functional Linguistics, SFL）（Halliday & Hasan 1976; Halliday 1994）に基づきMDAの概念を提示する。マリノフスキーは、言語の使用を、その言語が発せられる状況のコンテクストと、その状況を作り出す社会的背景、すなわち文化のコンテクストの二つの観点から考察した。そこから、Halliday and Hasan（1976）は、文化はさまざまな芸術様式、服飾のようなモノ、コミュニケーションのしかたなどを含む記号体系からなると捉えた。言語の文法は、法則としてあるのではなく、社会的要請に基づき、意味を作り出したり、表現したりするために選択可能な、互いに関連し合う記号群のネットワーク体系であるとした（Halliday 1994）。この見方は、言語以外のあらゆる知覚可能なモノ、動き、形、色などを分析の対象に取り込んでいくことを促し、特に語用論の発展に寄与している。

　Kress and van Leeuwen（2001）は、インテリア雑誌の表紙を例に、以下のように論じる。インテリア雑誌の表紙をデザインすることと、実際のインテリア

製品（たとえば食器棚）をデザインすることは全く別の工程である。しかし、雑誌の表紙のデザインには、実際にデザインされ、生産され、販売されている家具やカーテン等が選ばれ、それらの画像が配置される。そこに、テクストが組み合わせられる。それらはすべて記号として結びついて、評価や価値を含んだ、意味が生成される。そこには「家庭のリビングとはこういうもの」という「家庭の談話」が生み出される。

　もちろん、訓練を受けた編集者によって練られたインテリア雑誌の表紙デザインと、家具店の店主が販売促進のために製作するチラシとでは、異なる産物になる。雑誌とチラシという媒体の違いも影響するし、それぞれが用いられる状況のコンテクストに応じたものとなるためである。ただし、異なる状況のコンテクストで作られたものであっても、「理想的な家庭とはこういうもの」という文化のコンテクストはある程度共通して提示されると予測される。あるいは両者は関連づけられると考えられるのである。

　そして、産物（この場合は雑誌の表紙）は、参照され、その談話を表現するために、また別の記号群がセットとなって生み落とされる。談話は、産物が流通することで、伝搬され、類似の産物を再生産することを助け、その営みの中で更新されていく。少しずつ新陳代謝を続けながら維持・推進されていくものと捉えられる。

　このように考えると、国フェスのチラシは、決して国フェスそのものではないものの、国フェスの意味世界、すなわち国フェスの談話を掴む上で適切な素材ということが分かるだろう。そして、東京都内の公共空間で開催される国フェスのチラシを横断的に見ていく中で、共通する談話の特徴が認められれば、それは調査を実施した2016年前後の国フェスの談話と捉えてよいだろう。ただし、それは固定されたものではなく、相互参照や実践の継続による更新で、変わり続けるものでもある。

　MDAは、言語学の記号論と語用論、両方の領域で相互参照されながら発展してきている。ここでの立場は、van Leeuwen（2020）やCameron and Panović（2014）に倣い、記号論からの知見をおおいに考慮に入れながら、軸足は語用論に置くこととする。記号論と語用論の相違は、さまざまな角度から指摘しうるが、画とテクストの関係性についての見方がある。記号論では、画の社会的意味はテクストが付与されることでフィックス（固定・結束）されることに注目する。最も典型的な例として、絵画への作品名の付与が挙げられる。ゴッホの黄色い花の

絵は「ひまわり」と脇に刻印されることで実物と分かちがたく結びつき、「ひまわり」といえばゴッホの特定の絵画のみを指し示すことになる。この観点は、表象文化論の分野におおきく貢献している。

一方、語用論では、テクストは必ずしも画を固定させる働きを担うとは限らないと唱える。場合によっては画の方がテクストよりも厳然たる社会的意味を備える。たとえば、特定の場所に設置されている「→」のマークと「順路」などのテクスト、それによって作り出される人の流れなどが注目される。語用論は、画とテクスト、動きなどの記号のセットによって、それを目にする者に開かれた意味の世界を展開すると考える。製品の画の脇に書き込まれるテクストによって広がる意味や印象、それが見る者にどのような行動を促すのか、そうした相互作用に注目する。マーケティングや広告分野、行動科学等への貢献が期待される。

記号論と語用論が備える、それぞれの特徴から、国フェスという空間が、そのどちらからも切り離せない社会的営為であるということが分かるだろう。そして、以下の国フェスのチラシの分析は、チラシという媒体の、見る者に訴えかけるという特性、および国フェスがいまだいかなる社会的営為であるか、その発展途上にあるという社会的出来事が備える特性から、分析は、記号論的な視座も適宜導入しながら、語用論の立場に立って進めていくものとする。

2.3 分析の手順

以下、実地調査を行った国フェスのうち、実行委員会の掲載許可を得た8件の国フェスについて見ていく（口絵カラー図版参照）。Cameron and Panović（2014）は、ホームページを例にMDAの分析手順を示している。チラシの分析に合うよう、筆者が修正を加えたものが以下である。

1. 初見の印象。目を引くところはどこかなど。気づいたことをメモに書き出す。
2. 記号資源として何が用いられているかを整理する（文字・画など）。画の種類（写真、地図、ロゴ、図表）、言語の種類を確認する。バランスや特徴など、気づいたことをメモに書き出す。
3. チラシ全体の構成を見る。空間の使用、色彩、濃淡などの技巧とその効果。配置の関係（上から下、左から右、中心から周辺など）とその効果。
4. 写真が用いられている場合、1つを選び、詳細に分析してみる。特に周

辺に配置されているテクストとの関連を見る。

5. 写真以外の画が用いられている場合、1つを選び、詳細に分析してみる。特に周辺に配置されているテクストとの関連を見る。4との共通点・相違点を確認する。

6. 国フェスのチラシは、実際の国フェスとどう関連づけられるか。チラシは何を伝えようとしているのか。誰に向けられているのか。

3. チラシの横断的なMDA

3.1 初見の印象と記号資源

　8枚のチラシのデザイン、用いられている画の種類（人物画かイラストかなど）はそれぞれ異なる。テクストだけに注目して見ると、催事名、年、開催日程が共通して強調されていることが確認される。特に催事名は、大きく表示されているだけではなく、文字に装飾が施されており、その点からも他のテクストとのコントラストが印象づけられる。そして、催事名の周りに配置されている、同様の装飾が施されたテクストは、まとまりのある記号群と見える。年と開催日程だけでなく、場所、時間帯がセットとなっているものもある。

　催事名はテクストでもあるのだが、その装飾から画に近い記号といえよう。たとえば、「ナマステ・インディア」は大きさが不揃いのテクストで、ナカグロが星の形になっている。「FESTIVAL BRASIL」は、上の画とセットで催事のロゴマークの一部となっている。ラオスフェスティバルは手書きのような字体で「ラオフェス」と略されている。

　また、一見して認められる共通した特徴として、下部に帯状に区分された領域が設けられ、そこには細かなテクストが詰め込まれている。ここには運営者や協力団体、協賛企業、公式HPアドレスなどが記載されている。団体の表示はテクストではなく、ロゴマークが用いられる場合もある。これは、チラシに共通する構成とも考えられるため、映画、演劇、コンサート、野外催事、スポーツ大会など、チラシ作成が一般的な他の催事のチラシ画像を収集、閲覧してみた。その結果、音楽コンサートや、野外フェス、スポーツ大会などで同様の構成のものも認められたが、必ずしも一般的とまではいえない程度であった。そこから、この構成は、国フェスで共有されているフォーマットといえそうである。

　この最下部の帯状の部分は、上部とは区別された領域に見える。それを除いた

大半のスペースの構成はまちまちだが、緩やかに傾向が認められる。催事名とそれを取り巻く記号群は、ナマステ・インディア、ブラジルフェスティバル、カンボジアフェスティバルは上部に、ラオスフェスティバル、ベトナムフェスティバル、台湾フェスタは中央に、日韓交流おまつりとミャンマー祭りは下部に配置されている。上部または下部に催事名が配置されているものは、それ以外の空間に目を引く1つの画がある。ナマステ・インディアは船の絵、ブラジルフェスティバルは人物の写真、カンボジアフェスティバルは国旗、日韓交流おまつりはロゴマークを中央に据えたイラスト、ミャンマー祭りはパゴダの写真である。催事名が中央に配置されているものは、複数の画がその周りに散りばめられている（ベトナムフェスティバルは上部のみ）。以上の催事名と主要な画の配置関係を示したのが**図3-1**である。これらの画とテクストの関連は、後に改めて分析する。

　画の種類は、絵画、写真、ロゴマーク、地図（最寄り駅から会場までの地図や当該国の地形図など）、イラスト、文様、アイコン（FacebookなどのSNSや雨天を表す傘のマークなど）が、さまざまに組み合わされて配置されている。言語の種類は、すべてのチラシに日本語が用いられている。当該国の言語は、ベトナムフェスティバルを除いて、すべてのチラシに用いられている。ナマステ・インディア（英語）、ブラジルフェスティバル（ポルトガル語）、ラオスフェスティバル（ラオス語）、カンボジアフェスティバル（クメール語）、台湾フェスタ（中国

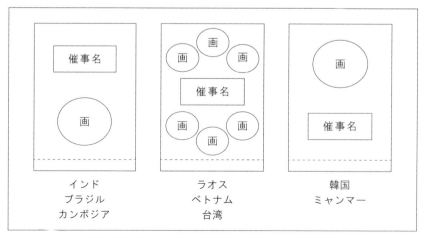

図3-1：チラシのMDA　催事名と主要な画の配置関係

語・繁体字）、日韓交流おまつり（韓国語）、ミャンマー祭り（ミャンマー語）である。ブラジルフェスティバルとミャンマー祭りを除く6件のチラシに、部分的に英語が用いられている。日本語以外の言語使用については、第4節で論じる。

3.2　構成・空間使用・配置

　チラシの構成に着目する。すべてのチラシについて、一覧に記号群を整理し、直示する要素を分類したところ、①催事名、②日時や場所などのアクセス情報、③プログラム内容、④関係者・構成員、⑤装飾のいずれかに分類することができた。また、余白を大きく残したままにしている構成と、隙間なく記号を盛り込んでいる構成のチラシとがある。余白を残しているチラシは日韓交流おまつりとミャンマー祭りである。それ以外は、多くの記号を配置しており、ベトナムフェスティバルがその中間に見える。そこで、ベトナムフェスティバルを例に詳しく見ていく。

　表3-1は、ベトナムフェスティバルのチラシ上の記号を整理したものである。表の見方を説明する。一番左の欄は、チラシの領域区分である。次の欄に、記号を種類別に書き起こした。テクストはその文言を、画は【　】で括り、具体的に描かれているものを示している。色使いなどテクストに際だった装飾がなされている場合は、文言の後ろに装飾技巧を【　】内に示している。次の欄は、各々の記号が直示しているおおまかな内容を示した。これらの内容は、上記の①〜⑤のいずれかに分類される。次の欄に、それぞれどの要素にあてはまるかを丸数字で示した。モード欄は、画とテクストの識別を示し、テクストについては言語の種類を示した。一番右の欄「特徴」は、メモ書きに相当する部分で、紙幅の関係でローマ字を付し、実際のメモは表の下、欄外に列挙した。

　表に整理することで特徴が掴みやすくなる。ベトナムフェスティバルのチラシの領域区分は明白である。大きくは、イメージ写真で占める上部と、赤と白で左右に区切られる下部2領域の3領域に大別される。中央に配置されている催事名「ベトナムフェスティバル2017」は左右の区切りをまたいで配置されているため、この領域を別扱いとした。結果的に、領域は4区分と分析した。

　それぞれの領域に配置されている記号群を見ていくと、上段はイメージ画像（⑤装飾）のみとなっている。中央は先に示した通り、催事名（①）である。下段左は催事名の英語表記とロゴ（①）、入場料とHPアドレス（②アクセス情報）となっている。下段右が最も記号が多く、アクセス情報（②）、プログラム内容

表3-1：チラシのMDA　ベトナムフェスティバル（2017年）の記号整理

領域	記号 テクスト　【画・色・装飾技巧】	内容	要素	モード	特徴
上段	【写真　女性（ノンラー・アオザイ・ハス）・ランタン・フォー】	ベトナムイメージ	⑤	画	A
	写真はイメージです	免責		日	
中央	ベトナムフェスティバル 2017【白赤】	催事名	①	日	B
	【背景　赤白　透かし模様　龍・花】			画	
下段左	【ロゴマーク　ハスの花　白】	催事	①	画	
	VEITNAM FESTIVAL 2017【黒】	催事名	①	英	
	入場無料【黄】	入場料　無料	②	日	C
	公式 URL【白】	HP	②	T	
	【背景　赤　透かし模様　龍】			画	
下段右	6 ／ 10 〜 6 ／ 11	期日	②	T	D
	sat sun【赤】	曜日	②	英	
	10:00 〜 20:00	時間帯	②	T	
	開会式　10 日（土）11:00 〜	内容　開会式　日時	③	日	E
	代々木公園　イベント広場	会場	②	日	
	雨天決行	開催条件	②	日	
	主催　ベトナムフェスティバル 2017 実行委員会／ 　駐日ベトナム大使館 日本側実行委員長　［名前］ ベトナム側実行委員長　［名前］ 事務総長　［名前］	主催者	④	日	
	【背景　白　透かし模様　花】			画	

【　】：画・色・装飾技巧の置き換え。　　［　］：テクストの置き換え。

要素：①催事名、②アクセス情報、③プログラム内容、④関係者・構成員、⑤装飾

モード：日＝日本語。英＝英語。T＝言語類型されないテクスト。画＝画像やマーク。

特徴A：広いスペースを使い顕著性が高い。ロゴマーク（ハスの花）に関連。内容に関連。

　　　B：色（赤と白）で区切られた領域をまたいでいる。

　　　C：唯一、文字が黄色で顕著性が高い。

　　　D：最も文字サイズが大きく顕著性が高い。

　　　E：唯一のプログラム内容。

（③）、関係者・構成員（④）と、各要素が概ね領域別にまとまって配置されていることが確認された。

　日本語表記の催事名「ベトナムフェスティバル 2017」だけが左右に区切られた領域をまたいで表示されている。領域をまたいでいるテクストは、この催事名のみである。催事のロゴマークは、ハスの花を象っているが、イメージ画像の女性も手にハスの花を携えており、両者に関連が見出される。領域をまたいで大きく表示される記号や、複数の領域に繰り返し示される同一の記号は、領域どうしをつなぐ効果を生むと同時に、強調されているメッセージと読んでよいだろう。色使いの効果も認められる。催事名「ベトナムフェスティバル 2017」は赤い地に白い文字、白の地に赤い文字と、地と図が反転するようにデザインされている。ハスの花のマークも赤い地に白で描かれている。こうした色使いの組み合わせが、両者を関連する記号と印象づけると同時に、分割された領域を再接合させる。記号による、分割と接合の繰り返しが認められ、そこに焦点化（強調）と全体性（まとまり）の効果が認められる。

　限定された情報が要素ごとにまとまって掲載されているベトナムフェスティバルのチラシは、余白も多く、シンプルなデザイン構成となっている。多くの文字と画が詰め込まれているラオスフェスティバルやカンボジアフェスティバルのデザインとは対照的である。特に、観光客向けパンフレットに掲載されていそうな写真で、洗練されたイメージを伝えるベトナムフェスティバルと（「写真はイメージです」との但書きが付されている）、手書き風のイラストで余白を埋めているラオスフェスティバルとは対照的である。そのデザインの違いは、前者が二国間の外交関係が重視されている催事で、後者が民間交流を基盤としているという開催の経緯や運営の違い（第2章）に連動しているように見える。

　両者のデザインの違いは、プログラム内容の記載のしかたにも見られる。ベトナムフェスティバルのチラシに掲載されているプログラムは開会式の時刻のみである。一方、ラオスフェスティバルのチラシには、子ども向けのプログラムや、体験型の各種プログラム、バザーの開催など、さまざまなプログラム内容が細かな文字で羅列されている。式典が重視されているベトナムフェスティバルと、さまざまな背景をもつ来場者に訴求するようコンテンツが列挙されているラオスフェスティバルのチラシのデザインからは、それぞれの国フェスがもつ公的機関主導型と草の根的な志向性という差異が再度確認される。

3.3　画とテクストの関係

　ここではチラシの中で顕著性が高く（目立つということ）、周辺にテクストが配置されている3つの画を取り上げ、その記号面の効果を論じる。

①ナマステ・インディアの絵画

　ナマステ・インディアのチラシには、中央に赤土色の地に白で描かれた船の絵が、多くのスペースを占めて掲載されている。周りの色鮮やかさとは対照的で、一見、素朴な印象も受けるが、よく見ると、どこも細かく描かれており繊細さも感じられる。少なくとも筆者は、このような絵をこれまで見たことがなく、描き方からも、描かれている題材からも、インドらしさへの連想につながることはなかった。

　この絵の右下には、小さな文字で「船／シャンタラーム・ゴルカナ／2015（ワルリー画)」と記されている。このテクストが配置されている場所から、この絵のキャプションであることが読み取れる。そして、「船」というのは、この絵のタイトルである。この絵の場合、誰がどう見ても「船」なのだが、たとえば「夏の夜」だとか、場合によっては「無題」となっていたとしても、位置関係から、そのテクストがこの絵画の作品名だと分かる。くどいようだが、この「船」というテクストは、この絵が「（一般名詞として）船である」と説明しているのではなく、固有名詞として「船」なのである。そして、この「船」を初めて見た人でも、これを描いたのがシャンタラーム・ゴルカナという画家で、昨年（2015年）に描き上げた比較的新しいもので、ワルリー画というジャンルの絵画であると分かる。作品そのものから受け取るメッセージだけでなく、こうした記号のセットが、この絵が美術館などに架けられている芸術作品と同列のものだと見る者に伝えるのである。

　そして、このチラシに埋め込まれていることから、インドにはワルリー画という絵画ジャンルがあり、シャンタラーム・ゴルカナという人物は、おそらくインド人であろうということが、この作品の画風や風合いとセットで見る者に印象づけられるのである。ただし、これが実際の国フェスとどう関連づくのかについては、予測させる手がかりはない。

②ブラジルフェスティバルの人物写真

　ブラジルフェスティバルのチラシには、中央部に8人の人物写真が掲載されて

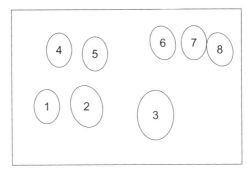

図3-2：チラシのMDA
ブラジルフェスティバル（2016年）の人物画像配置

いる。すでに人物が何者かを知っている人からすれば、瞬時に何を伝えようとしているのか分かるだろう。だが、知らない人であっても、互いに少しずつ重なりあって配置されている8人が、互いに関連している人々であろうと想像するのは容易い。

　MDAの手順に則って、まずは記号の配置から読み取れることを見ていきたい。一般的に、人物の集合写真の配置は、前列中央をメインとし、そこから左右と後列に広がる序列の記号的意味を内包させている。もちろん、スナップ写真はいかなる配置であってもよいわけだが、家族や組織、行事の記念写真は、こうした記号的意味を考慮して枠（写真のフレーム）に収まる。

　チラシ上の人物配置を見てみよう。**図3-2**は、8人の人物写真の顔の位置関係を示している。前列に3人、後列に5人が掲載されている。前列の人の顔が、後列の人の顔より大きく映るのは、遠近法による集合写真に見られる法則だが、そのギャップの大きさから、これは集合写真ではなく、個々に撮影された写真を集合写真風にアレンジしたものであることが分かる。そして、前列中央となるのは位置関係で見れば図中2の人物になるわけだが、右側にあいている余白と、画像の大きさから、最もアピールされている人物は3ということが伝わる。前列の記号的意味から解釈される序列関係は、3→2→1ということになる。

　後列はどうか。後列以降の序列関係は、集合写真等でもあまり厳密ではない。あえて言うなら、中央から6→5→7→4→8と言えるだろうか。同僚に意見を聞いてみると、5人は横並びではなく、5と4が少し前にいるように見えるので、5→4→6→8→7ではないか、とのことだった。いずれにせよ、寄り添う男女の

7・8は一組と読むことが促される。6の人物が、7から顔を背ける角度で掲載されていることも手伝って、7・8を一組と読むことが補強される。

　続いて、テクストを見ていきたい。人物の周辺にはテクストが付与されており（図3-3）、その位置関係から人物と関連していると見て取れる。人物の名前がポルトガル語（ローマ字）とカタカナで示されたシンプルな構成に見えるが、記号的な意味づけは色々と見えてくる。

　まず、1・2が一組であることが示される。7・8が一組であろうことは、人物画像配置だけから推測できたが、2人の人物の間に示される一組のテクストが、両者が一組であることを示す。また、前列が強調されていることは、情報量の多さからも補強される。1・2はフェスティバルの初日、3は二日目に登場するという情報が加えられている。テクストは左から右に読むことが促されるため、初日に登場する1・2が左に配置されていることも納得させられる。つまり、もっとも注目させたいのは3だが、先に登場するのは1・2という情報伝達が、記号の配置と内容から読み取れるのである。

　後列のキャプションは、名前をローマ字とカタカナの2行で表記するというパターンの逸脱が5と6について見られる。5はローマ字表記の名前の下に「ラップ」と音楽ジャンルが示されている。6は同じくローマ字表記の名前の下に「ブラジルのスペシャルゲスト」という文言が入っている。5に唯一「ラップ」と音楽ジャンルを明記していることから推察されるのは、ブラジル音楽ではない、ということわり、すなわち5以外はブラジルの（あるいは広くラテンアメリカのと広げられるかもしれないが）音楽の演奏をするのだろうと読み取れるのである。

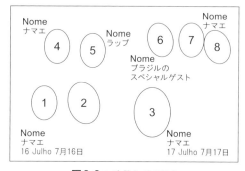

図3-3：チラシのMDA
ブラジルフェスティバル（2016年）の画像とテクストの配置

そして、6の「ブラジル（から）」「特別に」「招かれた」という但書きから、彼以外は日本を拠点に活動するアーティストであろうと推測される。世界的に有名なパウラ・リマ（3）については言うまでもないことだが、という含意も感知できる。

そして、第2章でも紹介したが、開催後の実行委員会からの挨拶文には、3（パウラ・リマ）と6（Jah Live）への言及（強調）がある。

> ……同フェスティバルはブラジルと日本の結びつきを深めるイベントとして開催されており、今回はパウラ・リマやジャー・リーヴィのライブにブラジルの人気漫画『トゥルマ・ダ・モニカ』のキャラクターショーも行われました。
>
> （在日ブラジル商工会議所 2016）

ここで改めて確認をしておきたいのは、東京に生まれ、ルーツのラテンアメリカ音楽、ブラジルの音楽を追求しているファビアーナ（2）(Universal Music 2021)、3歳の時に日本に家族と共に移り住んだブラジル国籍のラッパーAce（5）(CINRA 2020) が、本国から招かれたアーティストと、ほぼ対等に配置されていることである。日本を拠点に活動する当該国出身者と、国籍やルーツにかかわらず当該国の文化活動に惹きつけられて参加する人々の存在なくして国フェスは成立し得ないのである。

③カンボジアフェスティバルの各種写真

　カンボジアフェスティバルのチラシには、上部から中央にかけて催事名とカンボジアの国旗、アクセス情報等が示され、その周辺に9枚の写真が配置されている。デザインにおいて、一般的に左上に理想とする情報が、右下に向かって新しい情報が配置されるという (Kress & van Leeuwen 2006)。その視点で写真を見ていくと、カンボジアの風景、民族衣装に身を包み踊る女性、影絵、過去のフェスティバルの風景、料理、布や木で作られた小物入れ（雑貨）となる。それらの写真と写真の間には、テクストが小さく書き込まれている。テクストを書き出し、それが伝えている情報をコードとして整理したのが、**表3-2**である。

　左上のテクストには「カンボジアってアンコールワットだけじゃないんだ！」とエクスクラメーションマークを付したテクストが配置されている。有名な遺跡を出発点に、既知から未知へと発見する人の声（発話）のようである。続くテク

表3-2：チラシのMDA

カンボジアフェスティバル（2017年）の画像周辺テクストとそのコード

テクスト	コード1	コード2	コード3
カンボジアってアンコールワットだけじゃないんだ！	既知	遺跡	発見
カンボジア料理の屋台やお店あり！！	ジャンル		
伝統的な踊りや影絵芝居も見られるよ！	ジャンル	伝統	
かわいいカンボジアの雑貨もいっぱい！	ジャンル	かわいい	多い
イベント広場にお店が並ぶ！	多い		
野外ステージのショーも！	ジャンル		

ストも声のようだが、主催者から来場者に呼びかけているように見える。料理、踊り、影絵芝居、雑貨、ショーというふうに、「あれも、これも」とジャンルの広がりが追加されていく。「いっぱい」や「並ぶ」からは量的な多さも加えられている。すべてのテクストにエクスクラメーションマークがついていることから、質と量の充実への発見と驚きの談話と見ることができる。

4.　チラシの多言語使用についてのMDA

　国フェスは、異なる国の文化を日本に持ち込む催事であることから、複数の言語が行き交う空間となることが予見される。開催前にイベントを告知・表現するチラシにおいて、どの程度、多言語が用いられているかを見ることは、国フェスの多言語公共空間としての可能性や課題を探る手がかりとなるだろう。トランスナショナルに広がる国フェスとはいかなる意味をもつものなのかを談話に注目して紐解いていくことと同時に、そのなかで異言語、多言語がどう記号的・談話的に組み込まれているのかを探究することは、それ自体、社会言語学的な問いとして成立する。そこで、本節では、チラシに用いられている言語の種類を確認した上で、国フェスのチラシのMDAを通して、当該国言語の位置づけを分析する。

4.1　言語の種類

　表3-3は、**表3-1**に例示した記号の整理をもとに、言語の種類別に件数をまと

表3-3：チラシのMDA
言語の種類

フェスティバル名	言語	件	言語	件	言語	件
ナマステ・インディア	日本語	14	英語	4		
ブラジルフェスティバル	ポルトガル語	10	日本語	10		
ラオスフェスティバル	日本語	18	ラオス語	1	英語	1
ベトナムフェスティバル	日本語	7	英語	2		
カンボジアフェスティバル	日本語	15	英語	2	クメール語	1
台湾フェスタ	日本語	4	英語	4	中国語（繁体字）	2
日韓交流おまつり	日本語	5	韓国語	2	英語	1
ミャンマー祭り	日本語	13	ミャンマー語	1	英語	1

めたものである。**表3-1**で示したように、テクストであれ画であれ、隣接関係と内容から、ひとまとまりと読めるものを1件として整理したため、判断に迷うデータもあり、筆者の主観的要素を排除することはできないことを付記しておく。たとえば、細かい文字で列挙されている協賛・後援・協力などの企業や団体名は1件のテクストと扱っている。カンボジアフェスティバルのチラシのように、外縁に散りばめられた写真の間に書き込まれているテクストは、ひとまとまりと読むこともできるかもしれないが、ここでは別の記号としたため、全体的に件数が多くなっている。また、英語には「Yoyogi Park」をはじめ、「10:00am」「sat sun」などもカウントしている。「10:00am」はもはや一般的でマークに近い記号ではないか、単独で見るならラテン語ではないか、などの意見もあるかもしれない。このように、記号の単位や言語の種類の見極めをめぐる課題は、議論しはじめるときりがない。ここでは厳密な数字というよりも全体的な傾向を見ることに重きを置いて、言語の種類別の件数をまとめた。

　ナマステ・インディア、ブラジルフェスティバル、ベトナムフェスティバルは2言語が、他の5件は3言語が認められた。とはいえ、複数の言語が等しく使用されているのは、ブラジルフェスティバルだけで、他は日本語の比重が極めて大きいことが確認できる。ブラジルフェスティバルのポルトガル語と日本語の併記は、前節のステージ出演者のキャプションでも見た。アーティストが出演する日付を「16 Julho 7月16日」とポルトガル語、日本語の順序で示しているところからも、徹底ぶりが窺える。一方で、2言語併記が機械的でないことは、アー

ティスト名を原語で示し、その下に日本語で「ブラジルのスペシャルゲスト」と示す例に見たように、必要に応じて、異なるテクストを添え、効率的な情報伝達を試みている様子から分かる。また、いずれのチラシも、その国の主要な言語が1つ用いられるという共通点が確認される（表3-3、網掛け部分）。

4.2 英語の使用

まず、英語使用について見る。英語が用いられる箇所は、催事名（Namaste India, Laos Festival, VIETNAM, cambodia festival）、キャッチコピーやロゴマーク内のテクスト（Incredible India, Cambodia, Kingdom of Wonder, feel the warmth, next taiwan）、開催場所（Tokyo, Yoyogi Park, in Tokyo）、開催曜日（sat, sun）、時間（am, pm）、背景装飾（good taste, culture, tea, taipei, yoyogi, yummy, Shilin Market）であった。

日付や時間がアラビア数字で示されると言語を選ばない。そのため、催事名、会場、日時の3つが揃うと、読み手に意味のある情報となると考えられる。それを満たしているのはナマステ・インディアのみだった。翻って、他の国フェスの英語使用は、情報を伝えるためというよりも、装飾・演出的なものといえるだろう。英語は多言語国家インドの準公用語でもある。だから、ナマステ・インディアのチラシ上の英語使用は、次項で見る当該国言語にあたるともいえよう。本節で見たナマステ・インディアの英語使用の特徴は、他の国フェスの当該国言語の使用にも共通するものなのか、この観点も含めて見てみよう。

4.3 当該国言語の使用

続いて、英語以外で当該国言語が使用されていたラオスフェスティバル、カンボジアフェスティバル、台湾フェスタ、日韓交流おまつり、ミャンマー祭りの5つについて見ていく。

ラオスフェスティバルのチラシには、「日帰りで行けるラオス。」というテクストの上部にラオス語の文字で「ງານບຸນລາວ」（ラオフェス）と表示されている。この2行は同じ色（赤）で、ひとまとまりと読める。ラオス語の表示はこの1箇所のみである。このことから、「日帰りで行けるラオス。」と合わせてキャッチコピーの一部を構成していると見える。このラオス語は、情報を伝達するというよりは、装飾・演出の役割を担っているといえる。

カンボジアフェスティバルも、ミャンマー祭りも、ラオスフェスティバルに

　近い用法である。カンボジアの場合、クメール語は最上部の英語（cambodia festival）の下に、より大きく「ពិព័រណ៍កម្ពុជា ២០១៧」（カンボジア展2017）とある。最上部の英語の催事名から下部の傘マーク、時間の表示までが、国旗を中心に青と赤で交互に示され、隣接する記号どうしという関連づけが促される。

　ミャンマー祭りのチラシでは、パゴダの塔の右に、「ようこそ、リアルなミャンマーへ」と日本語で書かれた上部に、ミャンマー語で「မင်္ဂလာပါ」（こんにちは）と、赤い文字で印字されている。この2行は、周辺に取られた大きな余白から、ひとまとまりと読むことができる。日本語で「ようこそ」と呼びかける対象は、ミャンマー祭りの来場者に対してであろう。その上の行に配置されたミャンマー語の「こんにちは」も、同じ対象者に呼びかけていると考えられる。そして、これも情報として伝達することを意図して書かれているというよりは、ミャンマーの文字をシンボルに、ミャンマーらしさを演出する装飾的使用と見て取れる。

　台湾フェスタのチラシに印刷されている中国語（繁体字）は、上記の3つの国フェスとは提示のされ方が異なる。はっきりと読めるテクストは、ほぼ日本語である。テクストの周辺には、建造物や食べ物、衣装、旗のイラストにテクストが混じっている。それらは英語と日本語、中国語（繁体字）だが、白色で目立たず、読まれないことを意図しているのではないかとさえ思わせる。テクストを拾って見ていくと、英語は、「good taste, culture, tea, taipei, yoyogi, yummy, Shilin Market」と形容詞から普通名詞、固有名詞と品詞に統一がない。地名も台湾の都市名「taipei」、観光地名「Shilin Market」とばらつきが見られる。催事の開催地名である「yoyogi」も入っていることから、この催事のために製作されたものと見える。日本語は「台湾、士林市場、飲茶、胡椒餅」で「士林市場」のみ英語と重複している。地名は英語の「taipei」よりも大きな範囲「台湾」が、食べ物については、英語は形容詞「good taste, yummy」なのに対し、具体的な食事スタイル「飲茶」と食品名「胡椒餅」となっている。中国語は、日本語のテクスト「私の好きな、台湾。」の横に、やはり注意して見なければ見落としてしまいそうな色調で「我的最愛台灣」と繁体字で書かれている。

　この中国語（繁体字）を含む、3つの言語のテクストは、配置のされかた、配色からも、意味のある情報を伝達しているようには読めず、やはり装飾的使用と考えられる。しかし、ラオスやカンボジアとは明らかに異なる。ラオスフェスティバルのチラシ上のラオス語や、カンボジアフェスティバルのチラシ上のクメール語は、シンボリックに引き立つように表示されているが、台湾フェスタの

中国語（繁体字）は、まるで目立たない。こうした表示方法の違いに、台湾の置かれている複雑な政治状況が連想される。さらに、催事開催のきっかけが、建国の周年記念であったことも思い起こさせられる（第2章）。他方で、これは壁紙のようなものなのだから、そこまで連想するのは深読みが過ぎる、という見方もできよう。つまり、こうした解釈の幅を含んだ談話となっているといえる。

　日韓交流おまつりのチラシには、韓国語が2箇所用いられている。1つ目は、日韓国交正常化周年記念のキャッチコピーである「共に開こう　新たな未来を」のすぐ下に、同一の文言が「함께 열어요 새로운 미래를」と小さく記載されている。2つ目は催事名で、「한일축제한마당」と日本語の催事名表示とはやや離れたところに小さく記載されている。日本語の「日韓」は、韓国語では「韓日」と国名の記載順が逆になっている。両方の記載とも、日本語は文字に装飾が施されているのに対し、韓国語は一般的なフォントで印字されている。そのため、韓国らしさを演出する装飾のための掲示とは読み取りがたい。日韓交流おまつりは、ソウルと東京の両都市で開催されていることを考えると、これらの韓国語表記は韓国人で当該催事を知っている人に、同じ催事の日本版だと伝える、伝達の役割を果たしているように読める。そう読んでみると、日本語とは離れて表示されている催事名は、次の行にかけて「한일축제한마당 2015 in Tokyo」と読め、なぜそのような位置に韓国語が配置されているのか、納得させられる。

　これらの分析から、当該国言語は、全体的に限定的にしか用いられていないことが見出された。ブラジルフェスティバルは、当該国の言語であるポルトガル語が日本語と並列に、かつ両方の言語がそれぞれ実用的に用いられていることを確認した。アジアの国フェスでは、それぞれの国の主要言語1つが、量的にも、きわめて限定的に使用されていた。特に東南アジアの国々の国フェスでの用法は似通っていた。情報伝達を担っているというよりは、象徴的あるいは装飾的な用いられ方であった。ただし、ナマステ・インディアの英語と日韓交流おまつりの韓国語の例に見たように、限定的であっても実用的な伝達機能を担っていると解釈しうる事例も認められた。

5.　チラシに凝集される国フェスの談話

　これまでの分析結果を相互参照しながら、チラシ上の「国フェスの談話」を見ていきたい。チラシのデザインや、空間使用、色使いはそれぞれに異なる。まず、

　読まれるテクストに注目して見ると、共通していた特徴として、①催事名、②日時や場所などのアクセス情報、③プログラム内容、④関係者・構成員、⑤装飾からなることが確認された。そのなかで、催事名は開催日と合わせて最も強調される。催事名はテクストで表示されるが、他の情報よりも格段に大きく、装飾も施されているため、読まれるテクストというだけではなく、画としての顕著性も高い。

　催事名の周辺には、あらゆる種類の画が配置される。それらは、当然、催事と関連づけられる記号と読めるわけだが、大きな画がひとつ示されているものと、細かな画とテクストが数多く配置されているものとがある。大きな画が示されているものは、日韓交流おまつりとミャンマー祭りである。ブラジル、ラオス、カンボジア、台湾は、画とテクストを数多く配置している。ベトナムは両者の中間といえ、インドは両方の技巧を取り入れているといえよう。

　このようにして見ていくと、国フェスのチラシ上で中心に位置づけられる「キャプション付きの画」が浮かび上がってくる。それは、イラストの場合もあれば、催事名の場合もある。前者の例は、日韓交流おまつりのチラシ上部、2つの顔が寄り添い、上部に向かって湾曲した道を行く人々が描かれたイラストである。2つの顔は2つの国を表し、道を行く人々は朝鮮通信使を模している。その画のキャプション的な働きをもっているのは、「共に開こう 新たな未来を」という日韓国交正常化周年記念のキャッチコピーということになる。

　ナマステ・インディアは、催事名が中心的記号となっている。そのキャプション的な働きを担っているのは、20年以上続く当該催事のキャッチコピー、「日本最大級のインド・フェスティバル」となる。

　チラシ全体が国フェスとは何かを示す大きなひとつの画となり、その脇や端に添えられた小さなテクストがキャプションとしての働きを担って見えるものもある。台湾フェスタがその例で、たくさんの画が散りばめられた脇に記載されている「わたしの好きな、台湾。」がチラシ全体のキャプションとしての働きを担っていると読める。

　催事ごとに、チラシ上の中心的記号と、そのキャプションと位置づけられるテクスト、両者から読み取れる談話（括弧内）をまとめたものが**表**3-4である。ブラジルフェスティバルやカンボジアフェスティバルのように、複数の画とキャプションのセットがこれにあたるものについては、3節の分析に基づいた談話のみを括弧内にまとめている。

表3-4：チラシ上の中心的記号とそれに付帯するテクストと談話

フェスティバル名	中心的記号	テクスト（談話）
ナマステ・インディア	催事名	日本最大級のインド・フェスティバル（大規模）
ブラジルフェスティバル	8人のアーティスト画像	（本国と日本で活躍する文化人）
ラオスフェスティバル	催事名	ງານບຸນລາວ 日帰りで行けるラオス。（アクセシビリティ）
ベトナムフェスティバル	チラシ全体	（公式性と洗練されたイメージ）
カンボジアフェスティバル	9枚の画像	（文化ジャンルの広がりの発見と驚き）
台湾フェスタ	チラシ全体	わたしの好きな、台湾。我的最愛台灣（愛着）
日韓交流おまつり	中央のイラスト	共に開こう 新たな未来を 함께 열어요 새로운 미래를（相互協調の過程）
ミャンマー祭り	パゴダの画像	မြန်မာ ようこそ、リアルなミャンマーへ（出会い、歓迎、真正性）

　規模の大きさ（インド）、アクセシビリティ（ラオス）、愛着（台湾）、相互協調の過程（韓国）、出会いと歓迎、真正性（ミャンマー）が導出された。日韓交流おまつりの「共に開こう 新たな未来を」は既述の通り、この催事ではなく、日韓国交正常化周年記念のキャッチコピーである。日韓交流おまつりは、催事そのものの開催を目的としているというよりは、両国の友好的な外交関係の道（上部に向かって伸びる道が描かれている）の過程に位置づけられていると読める。

　このようにして見ると、チラシの中心となる記号（チラシそのものの場合もあるが）に付与されたキャプション的働きをもつテクストのうち、4つに当該国言語が用いられていることに気づかされる。台湾フェスタの中国語（繁体字）は読み取るのが難しいほどに薄い色である。日韓交流おまつりのハングル文字も小さく目立たない。しかし、この催事はこういうものであるということをフィックスさせる機能をもつキャプションに、当該国の言語が含まれているということは、注目に値するのではないだろうか。このような分析は、あるいは移住者コミュニティの言語使用の活性化を問題意識としてもつ、社会言語学者の誘導的な解釈に見えるかもしれない。しかし、これは筆者が、Cameron & Panović（2014）が示した6段階の手順を踏んで、記号の整理と解釈を繰り返して導き出したMDAの結果である。

6.　　本章のまとめ

　本章ではA4判の紙一枚に収められる、国フェスのチラシに注目して分析を行った。8件の国フェスのチラシを素材に、テクスト・画などの諸記号、それらの配置と空間使用からなる全体の構成、画とテクストの関連から導き出される談話をMDAの手順に則って分析した。

　チラシをMDAで見ていくと、国フェスが何を伝えたいのか、どのような価値観を内包させているのかといったことを紐解く手がかりが得られる。そこには第2章で見た開催の経緯や趣旨、挨拶文等との照応により確認される事項もあった。

　チラシ上の記号が直示する内容は、①催事名、②アクセス情報、③プログラム内容、④関係者・構成員、⑤装飾のいずれかに分類することができた。プログラム内容はプログラム内容どうし、アクセス情報はアクセス情報どうし、隣接してまとまりをもって配置されていることを確認した。区分けされた領域をまたいだ配置や、異なる領域に繰り返し掲載される画は、強調されているメッセージと読むことができる。

　チラシの中で最も強調されている画（催事名の場合もある）に付帯されている小さな文字はキャプションとしての効果を付与していると考えられる。そこで、チラシ内で中心に位置づけられている画を同定し、それに付帯されているテクストとの関係性から読み取れる意味内容を、その国フェス固有の談話として導き出した。それらは、「大規模」「本国と日本で活躍する文化人」「アクセシビリティ」「公式性」「洗練さ」「文化ジャンルの広がり」「発見と驚き」「愛着」「相互協調の過程」「出会い」「歓迎」「真正性」の12項目に集約される。

　だたしこれらの国フェスの談話は、それぞれの国フェスに恒常的にフィックス（固定）されたものではない。実際、経年で見てみると、翌年には全く異なるデザインと内容のチラシになっているケースもある。たとえば、ここで紹介したベトナムフェスティバルのチラシは、公式性の高い、洗練されたイメージを演出していると分析したが、年によってはポップなイラストを雑多に盛り込んでいる（第8章、図8-2参照）。国フェスの談話には、そうした流動性もあり、国フェス間の相互参照やよりマクロな国際関係・外交関係など、さまざまな外部環境の影響も受けて変容していくと考えられる。本章では横断的に見たが、経年的に見ることで、また違った談話の解釈が促されるだろうし、5年後、10年後に同じ横断的分析を行っても、また違った談話が抽出されるだろう。そして、これはチラシに見

られる国フェスの談話であり、実際の国フェスと同一ではないことも確認しておきたい。実際の会場では、さまざまな参与者による複雑な相互作用が展開されている。それでも、今回分析したチラシの中の談話と、どこかに接続が見られることも確かであろう。

　社会言語学の関心課題からは、興味深い知見が導き出された。当該国の言語に注目して、その出現と隣接する記号との関連性で見ていくと、出現数も極めて少なく、意味を伝達するというよりは装飾的、演出的な使用にとどまっていることが確認された。しかし、MDAの終盤、チラシ内で中心に位置づけられている画を同定し、それに付帯されているテクストを抽出したところ、8件の国フェスのうち4件で、当該国言語を含むテクストが中心的画のキャプションにあたる位置に見出された。言語景観の量的アプローチで見ると、取るに足りない装飾的使用という分析結果になるところが、MDAで分析すると要となる箇所に出現している分析結果となった。依然、その顕在性を高めていく余地はある。以下の章でも、この観点を意識しながら分析と考察を進めていくこととする。

多言語がひしめく飲食ブースのメニュー（カンボジアフェスティバル、2017年）

少数民族語の存在

ミャンマー祭りに見る
シャン語・シャン民族の顕在性

国フェスの言語景観調査では、画像データを収集した後、分析のために整理する段階に進む。国フェスで収集される言語は、種類が多く、その分類や整理は一筋縄ではいかない。

ミャンマー祭りの事例から見てみよう。ミャンマーは多民族国家で、祭りには少数民族の料理店も出店している。

写真は、シャン州出身のハンウォンチャイ・スティップさん*が経営するレストラン、「ノング・インレイ」のブースである。高田馬場駅周辺に点在するミャンマーレストランの中でも老舗店のひとつで「ミシェ（シャンそば）」が人気メニューである。「ノング・インレイ」は店名だが、風光明媚で観光地となっている「インレイ湖」のシャン語だそうだ。ビルマ語では語順が変わり「インレイ・カン」となる。

言語景観研究では店名のような固有名詞は、扱いが複雑となるためデータから除くという案もある（Backhaus 2007）。しかし、インレイ湖というシャン州を代表する湖名でもある店名は、店主と提供される料理の民族文化的独自性を象徴している。東京における多文化・多言語の存在を重視する当該研究課題の観点からは、こうした事例こそ注目すべきと判断される。

では、これはシャン語としていいだろうか。写真では隠れて見えない部分もあるが、店名「ノング・インレイ」は、上からカタカナ、ローマ字、そして（シャン語の文字ではなく）ビルマ文字の3種で印字されている。会場で認められたシャン語やカチン語、カレン語などの少数民族言語は、民族語独自の文字、ビルマ文字、ローマ字、カタカナと4つの表記法からいずれかが採用されていた。

文字は話し言葉を書き表すために制度的に定められたものである。だから、言語と文字（表記法）はセットと考えがちだが絶対的な結びつきがあるわけではない。どの言語もカタカナで書き表せることを考えてみれば、シャン語がビルマ文字で綴られることも驚くにはあたらない。ビルマ文字で表記されたシャン語は、シャン語と分類したいところである。だが、そうすると今度はカタカナ表記されたたくさんの語の扱いはどうするのか、という問題が生じる。

さらに言えば、これら店名が記載されたバナーは、上からの張り紙でローマ字表記の一部が、カタカナ表記についてはほとんどが隠れている。ビルマ文字も配膳台の前に積まれたミャンマービールで一部、隠れている。この点も言語景観データとしての扱いを悩ませる。

国フェスの言語景観には、少数民族（少数言語）、社会的マイノリティ（たとえば手話など）の存在を見つけることができる。それなのに、この事例が端的に示すように、幾重にもカバーがかけられ、目立たなくなっているようにも感じる。ここでいうカバーとは、シャン語をビルマ文字で表記すること

ミャンマー祭り（2016年）、シャンレストラン「ノング・インレイ」のブース

も含めている。ちなみに、バナーの右上にはミャンマーの国旗（写真右上、上から黄、緑、赤の三色旗の上に大きな白星）が印刷されている。この記号の顕在性は高い。他方、バナーの上に貼られた張り紙に、小さく印刷されている旗（写真中央、ミャンマーの国旗と同配色の上に白丸）は、シャン州の州旗である。こちらの顕在性は低い。

民族的・社会的マイノリティの存在が、文化的多様性に貢献する豊かな存在として前景化されるには、何が遮蔽物となっているのか。どうしたら顕在性を高められるのか。フィールドワークに基づいた言語景観研究には、それを探り出す可能性と使命がある。

＊ハンウォンチャイ・スティップさんのライフヒストリーについては、伏見（2020）を参照。

第4章

国フェス会場に
展開される
国名・地名

想像の国家空間

サンバパフォーマンス後の記念撮影（ブラジルフェスティバル、2016年）

1. はじめに

　本章では、国フェスの言語景観における国名と地名の表出と談話を分析してい
く。基本的にはテクストの談話を見るが、文字に施された装飾や、画との隣接関
係については前章で用いた、マルチモーダル談話分析（MDA）の視点も動員す
る。国フェスは、地理的にも風土的にも離れている「国家」を持ち込もうとする
試みともいえる。当然、離れた土地を移転させることはできないので、移転可能
なモノ、コト、アイディア等で、その国が「演出」される。それは、もともとあ
るその国についてのイメージや知識を手がかりとしながら、また新たにその国の
イメージや理解を付与していく作業ともなるだろう。

　そこに何が繰り返し持ち込まれるのか、何が新たに提案され、何が淘汰されて
いくのか。何が、どう「本物」と認識され、何が混淆的創造として価値づけられ
たり、逸脱として排除されたりするのか (Bhabha 1994; Rudby & Alsagoff 2014)。そう
した過程を見ていくことは、それぞれの国家イメージの形成過程の一端を紐解く
ことにもなるし、いかに国家がイメージされ、理解され、消費されているのかと
いった現代社会における国家のありようを探究することにもつながる。

　本章では、国フェス会場の言語景観調査から、国名がどのように用いられてい
るかを見ていく。まず、当該国の国名の使われ方を見る。加えて、当該国以外
の国名も見ていく。当該国以外の国名としては、開催地である日本だけではな
く、周辺国が引き合いに出されたり、風土や文化的な事柄から連想されて、地理
的に離れた他国が紹介されたりすることもある。さらに、国を超える大きな単
位（アジア、アフリカ、世界など）や、国の中の小さな単位（州、県、市など）
の表出を見る。国家と関連して、どのような文脈でより大きな、あるいはより小
さな単位の地名が出現するのかについて、ブラジルフェスティバル、One Love
Jamaica Festival、ミャンマー祭り、ベトナムフェスティバルを事例に見ていく。

2. 国名

　国名はフェスティバル名に掲げられ、催事のメインテーマでもあるから、来場
者は会場で繰り返し目にし、耳にする。その用いられ方は多岐にわたる。以下は、
言語景観データから整理した国名の使われ方である。

①原産・類型・ジャンル

普通名詞の前に置かれ産地や類型、ジャンルを示す。「ベトナム料理」、「韓国みやげ」のようにどの国でも組み合わせられるものから、「インドカレー」、「台湾屋台」のように、具体的なモノを指し示すものまで無数にある。「インドシルク」、「台湾マンゴー」などは、原産国という意味に解釈される。「インドの神様」のように「の」でつなげられる表現も含めると無数となる。起源や発祥、生産地、類型や区分、ジャンルなどを示し、語そのものに優劣や強弱、美醜などの評価や価値づけは含まれない。

②説明・補足

①の表現に、それぞれの言語での言い方を付与する場合もある。「フィリピン風かき氷ハロハロ」や「ブラジルBBQシェラスコ」などの例である。「タイ風やきそばパッタイ」や「ベトナムきしめんフォー」が定着していくと、そのまま「パッタイ」や「フォー」とだけ表記されるようになる。このような過程を考えると、国名が付帯するのは、当該文化が日本社会に広く認知されるまでの「有標」の状態と見ることもできる。ミャンマー祭りで紹介されるお茶の葉のサラダの表記は、「ラペット／ラペットゥ／ラペットウッ／ラペソー」と揺らぎが見られる。こうした表記の揺れは、相互参照されながら徐々に収斂されていくわけだが、それまでは「ミャンマーお茶の葉サラダ」のような説明的な表現を伴う。

③評価・強調

国名と名詞が結びつけられる際、「ブラジル代表」や「ジャマイカ三大名物」のように格を上げたり、高い評価を加える語が伴って用いられる。他にも「本物、本格、本場、最強、人気、限定、伝統、元祖、必須、専門、発見」などと組み合わせた表現が確認された。評価を伴う形容詞が先行することもある。「おいしいペルー」は催事名でもある。本来、国を食べて味わうことはできないので、これはペルー料理を代替する比喩表現でもある。他には、「美しい、楽しい、元気な、やさしい、好きな」などが見られた。

④擬人化

国をあたかも人であるかのように呼びかけたりする表現である。例は、「こ

んにちは、ベトナム」、「ミャンマーとの出会い」、「はじめまして、台湾」、「ことしも、ベトナムがやってくる」などである。

⑤対象化
「ミャンマーを撮る」のように視覚的に捉えられる対象、「ベトナムらしいコクのある塩味」のような表現もある。情を注ぐ対象とする表現は、広く確認される。「I♥MYANMAR」（♥マークはLOVEと読むことが促される）のような表現は、小さなポップからTシャツのデザインにまで見られる。アイ・ラブ・アイルランド・フェスティバルやOne Love Jamaica Festivalなどのように、催事名にも愛情を注ぐ対象としての国名使用が見られる。

⑥装飾、空間・隙間を埋める
国フェスの会場に提示される国名は、周りの言語・非言語の記号と結びついて、ある程度意味や機能が解釈可能になるが、なかには、特に意味はないと思われるものもある。スタンプのように、単に空間や隙間を埋めるために書き込まれているものもある。

　以下に、ブラジルフェスティバルのステージ装飾と、One Love Jamaica Festivalの屋台のメニューを事例に、周りの記号や状況とも合わせて国名の用いられ方を分析していく。

2.1　メインテーマとしての国名

　図4-1は2016年のブラジルフェスティバルのメインステージである。ステージ上ではバンドがリハーサルをしているところで、バンドメンバー以外にも数名のスタッフが声をかけ合いながら作業や確認をしている。ステージ前では数名の観客がその様子を見ている。ここではステージ上で行われているコトではなく、ステージに施された装飾に注目する。

　ステージ上には照明やスピーカー、マイク、楽器なども見えるが、中央上部に掲げられた文字と左右に設置された縦長の看板、ステージ右奥の人物を象った設置物はいずれも装飾物であることが、色彩の鮮やかさなどから分かる（口絵カラー図版も参照）。

　ステージ中央、上部のテクストは「FESTIVAL BRASIL 2016」とある。これ

図4-1：メインステージ
（ブラジルフェスティバル、2016年）

は催事名で、チラシ（第3章）でも見たロゴマーク中のテクストと同じ色使いのた
め、一連の語としても読める。しかし、「FESTIVAL」の色は、オレンジから赤
への、「BRASIL」は水色から青へのグラデーション、「2016」は黄色と、色も
フォントもサイズも異なっているので、それぞれ単独の語と読む人もいるだろう。
中段の「BRASIL」は上下の文字より格段に大きく、特に目立つ。

　続いて、左右に掲げられた縦長の看板を見る。左右には全く同じ看板が掲げら
れている。ステージ上の人物と比較すると、かなり大型であることが分かる。よ
く見ると二枚の板を繋いでおり、上部は催事のマークと催事名、下部は協賛企業
（カタール航空）のロゴマークとスポーツをする人々のアイコン6つで構成され
ている。

　縦長の看板の中央には、ステージ上部と同じ色使いと、2行の構成で
「FESTIVAL BRASIL」と記載されている。「BRASIL」（青）の文字は看板の中
で最も大きい。しかし、背景の青色と重なっており顕著性は弱まっている。それ

でも、ステージ上部の掲示物と同じ色と構成であることから、2行はセットで読まれるべきこと、最も重要な記号と解釈できる。

　また、ステージの右奥には、人物が両手を広げた造形物が設置されている。複数の色で塗られているため、人物と分かるのはその形状からである。そして、ブラジルから連想され、この装飾物がリオデジャネイロのコルコバードの丘に立つキリスト像を模していることが、その名所を知っている人には伝わる。2016年は、リオデジャネイロでオリンピック・パラリンピックが開催された年であり、看板下部のさまざまなスポーツをする人のアイコンはそれを連想させる。オリンピック開催にあたり、これまでブラジルにあまり馴染みのない人でも、このキリスト像を画像や映像で目にする機会が増えている社会状況がある。

　興味深いのは、記号の付置によって意味が連想されていく効果である。ブラジルフェスティバルはオリンピックとは直接関係はない。スポーツのフェスティバルでもない。それでも各種競技をする人々のアイコンは、オリンピックを連想させるに十分であるし、ブラジルフェスティバルでオリンピックを連想させられることに違和感がないのは、数ヶ月後にリオデジャネイロオリンピックが開催されることを人々が了解済みだからである。少なくとも、看板を掲示した人々は、それを了解事項だと想定していたであろう。

　そして、スポーツをする人のアイコンの中央に掲げられているのが、カタール航空のロゴマークである。中でも一番目立つのは「QATAR」の文字である。その下に小さく英語で「AIRWAYS」、アラビア語で「القطرية」（カタール）と書かれている。いずれもロゴマークの一部である。しかし、「FESTIVAL BRASIL」でも見たように、文字の大きさや行配置が異なることから、「QATAR」とローマ字表記の国名だけを読むこともできる。ちなみに、カタールはアラビア半島に位置する国である。

　メインステージにカタール航空のロゴが大きく掲載されるのは、協賛企業だからである。協賛企業は国フェスを開催する上で、重要な関係団体である。第2章で見たとおり、国フェス終了後の挨拶文に協賛企業への謝辞は必ず含まれるし、第3章で見たとおり、国フェスの「顔」ともいえるチラシには、関係者・構成員として協賛企業のロゴマークが印刷される。とはいえ、ブラジルフェスティバルのメインステージの看板に、QATARと第三の国名が掲示されることには違和感も禁じ得ない。

　そうして見ると、オリンピックやリオデジャネイロを示す記号の羅列に、別の

意味合いが見出される。各種スポーツのアイコンはオリンピックを連想させる。オリンピックは一国を超えた世界規模の国際イベントである。それが、2016年にはブラジルの都市、リオデジャネイロで開催される。カタールという、ブラジルとは別の国名を表示する上で、一旦、国より上位のグローバルレベルの活動に連想を広げる。私たちは国際協力、国際協調、国際参加の中にある、と観念的に場を広げることで、他国名の表出が許容される。

　この連想を誘発させる記号の羅列において、オリンピックもリオデジャネイロも直示的ではない。一方で、あえて直示しないことによって、カタールという紛れもなく第三の国の表出を緩衝させることに成功しているともいえる。ブラジルに関連するより広いコトとより狭い場所に関係する記号を緩やかに配置することで、むしろ、明確に、顕著に明示されているBRASILあるいはFESTIVAL BRASILへの印象の集約を高める効果を付与していると見ることができる。

　ただし、看板の製作者が、このように戦略的に考え、記号の配置をしているという意味ではない。国家の演出や印象づけは、（それ単体ではなく）このような記号群の配置を談話技巧・談話戦略のひとつとしてなされている可能性を例示した。以下に、他の事例を引きながら国名使用のバリエーションを見ていきたい。

2.2　「特別なもの」への昇華に付帯する国名

　次に見る事例（**図4-2**）は、2016年のOne Love Jamaica Festivalに出店していたキッチンカーのメニューである。遠くからも見えるよう、4つのメニューがキッチンカーの上部に掲げられている。国フェスに限らず、野外フェス会場では提供の効率が上がるよう、メニューが数種に限られているのは一般的で、**図4-2**のような提示方法は、しばしば目にするところである。

　メニューは、料理の画像（上半分）、料理名（中段）、料理の説明（下段）、価格と分かる数字（右上）、コメント（左上の丸い囲み）で構成されている。最も目を引くのが料理の画像、それと隣接して価格と料理名が配置されている。料理名の下に配置されている説明の文字サイズは、料理名よりも小さい。料理名は目に入る、いわば読めてしまうテクストで、説明文は読もうとする人だけが読むテクストといえる。この看板は人々の目線より高い位置に掲示されており、下部に配置された小さい文字で書かれた説明は、人の目の位置からの距離という意味では最も近い位置に配置されていることになる。「人気No.1！」や「おすすめ」といったコメントにあたる文言は、料理に隣接しているが、吹き出しのような丸い

料理名とその説明のテクスト（下線は筆者）

ジャマイカンデラックス弁当
全盛りヘルシーランチ！
ジャマイカ産モリンガ葉入りレンズ豆と野菜のベジココナッツカレー＆
ジャークチキン＆湘南野菜自家製ピクルス付

ジャークチキン弁当
最高級タイ米使用
ココナッツミルクとタイムで炊いたジャマイカ豆ご飯　湘南野菜自家製
ピクルス付

ジャークチキン丼
熊本県産米ヒノヒカリ
湘南野菜自家製ピクルス付

ジャークチキンドッグ
湘南 Kalaheo ベーカリーコラボ商品
朝焼きたて無添加コッペパン　限定数！

図4-2：キッチンカー上部に掲げられたメニュー
（One Love Jamaica Festival、2016年）

枠に収められている。この付随的な配置は、「読んでも読まなくてもよい情報」
であることを指標している。
　メニュー名における、国名の用いられ方について詳細に見ていきたい。4つの
メニューのうち、右3つは具体的な料理名である「ジャークチキン」に、「弁当」、
「丼」、「ドッグ」を付け、それぞれのメニュー名となっている。そして、一番左
のメニューだけが料理名を含まず、国名を含んだ「ジャマイカンデラックス弁

当」とある。そして、価格は右から左にいくほど高く設定されている。「デラックス」、すなわち豪華で、店が提供するものの中で最も価値が高い商品に、料理名ではなく国名が付けられている。

　下段・複数行の説明のテクストについて、ジャマイカも含めた国名、地名の談話を見ていく。すべてのメニューに言及されている地名は「湘南」（神奈川県西部のエリア名）である。「湘南野菜」とは湘南で生産された野菜と解釈してよいだろう。また、「ジャークチキンドッグ」を、湘南で営業しているベーカリーとの「コラボ商品」としているところから、この店舗が湘南を拠点としており、地元の農家や商店と協力関係にあること、その丁寧さを価値としていることが読み取れる。

　その価値づけは、「焼きたて」、「無添加」、「自家製」、「ヘルシー」などの文言からも窺える。それは湘南産ではないものを使うときでも産地が分かっていることで補強される。それが日本であれば県名「熊本県産」や日本以外であれば国名「最高級タイ米」といった但書きに連鎖して見える。「モリンガ葉」は日本に暮らす多くの人にとって聞き慣れない食材だと思われるが、それは何かという説明よりも「ジャマイカ産モリンガ葉」というように産地として国名、ジャマイカが示されている。

　この短いテクストの中で、地名に関しては、ジャマイカだけではなくタイ（国名）、熊本（県名）、湘南（エリア名）が表出している。食に対する価値観でいえば無添加、自家製、焼きたてなど、健康志向や丁寧さ、手作りの温かみなどを重視する表現がある。そして複数の料理を盛り合わせるという意味もある。これらの要素を束ねて「ジャマイカンデラックス」と名付けられている。

　この事例からは、「湘南」というエリアを拠点としながら、遠い国「ジャマイカ」への関連を紡ぎ出すために、「湘南」から「熊本」、「タイ」が提示され、ジャマイカまでの拡張を促すという過程が、一種の談話戦略として見えるともいえるのではないだろうか。それは「湘南エリア」ではない場所での国フェスに参加する談話戦略ともいえよう。同時に、そこで提供され、経験される「ジャマイカなるもの」とは何なのか、という問いが改めて浮上することにもなる。

　もちろん、これは国フェスではよく見られる手法であるし、国フェスを持ち出すまでもなく、諸外国の料理を提供しているエスニックレストランでも用いられる方法である。「ジャマイカフェスティバル」に出店しているのだから、最も豪華な盛り合わせ、複数の価値を束ねた商品に「ジャマイカンデラックス」と名付

けるのはごく自然なことだといえよう。類似の事例として、ブラジルフェスティ
バルで「King of Sandwich ブラサンド」などのようなメニュー名もあった。「王
（King）＝最高のもの」に、国名の一部を取って「ブラサンド」と名付けている。
翻ると、こうした談話戦略が自然に感じられることこそが、我々の国家イメージ
のありようを物語っているともいえる。

3. 都市名

　前節では、国名が強調されたり、反復されたり、複数の価値を束ねて昇華され
る談話戦略を見た。そこでは、テーマ以外の国名、都市名、地域名など、異なる
次元の地名も動員されていることを確認した。本節では、都市名の使用例を見て
みたい。

3.1　会場内の拠点としての都市名

　ミャンマー祭りでは、毎年2つのステージが設営されるが、メインステージは
ヤンゴンステージ、サブステージはマンダレーステージと名付けられている。ヤ
ンゴンとマンダレーは、ミャンマーの第一の都市（首都）と第二の都市である。
ミャンマー祭りの会場に、ミャンマーの二大都市名を付したステージを設定する
ことが、ミャンマーを増上寺境内に再現する演出技法のひとつとなっていると読
むことができる。この場合の都市名は、国フェス会場内の拠点を示す役割を担っ
ている。

3.2　数詞としての都市名

　図4-3はベトナムフェスティバルで、ベトナム航空が主催していた抽選会の案
内の画像である。右が注目したい看板で、それを遠景に捉えた写真が左である。
左の遠景写真の左端に写っているのが当該看板である。
　ここでは当選した人に贈られる賞の名付け方に注目していく。
　上位二つの賞の名前には、抽選会を主催する航空会社名と航空機の機種名が用
いられている。最上位のベトナム航空賞の賞品はベトナム行きの航空券で、賞
の名前と賞品に関連がある。B787賞の賞品は当該機種の模型で、これも賞の名
前と賞品に関連がある。3等から5等までは、航空会社のオリジナルグッズが賞
品となっているが、賞の名前と賞品の間に関連性はない。賞の名前はベトナム

の都市名で、3等に首都のハノイ（北部）、4等にベトナム最大の人口を擁する都市ホーチミン（南部）、5等に港湾都市であるダナン（中部）が採用されている。首都が筆頭で、以下は規模順となっている。

　これらの都市名は、数詞の機能を果たしていると見ることができる。つまり、ハノイという言葉は、ハノイという都市を紹介するために用いられるわけではなく、序列を示す記号として機能している。これは、先に見たミャンマー祭りのヤンゴンステージ、マンダレーステージと用法は類似である。これらの都市名の記号的使用が、ベトナムフェスティバルの会場をよりベトナムらしく、ミャンマー祭りの会場をよりミャンマーらしく演出するのに用いられていると考えられる。

賞名とその説明のテクスト

ベトナム航空賞	ベトナム航空で行く「東京−ベトナム往復」ペア航空券	2 組様
B787 賞	B787 卓上模型飛行機	10 名様
ハノイ賞	スリムボトル UV 折りたたみ傘	60 名様
ホーチミン賞	ポロシャツ＆キャップセット	80 名様
ダナン賞	アルミマウンテンボトル	148 名様

図4-3：ベトナム航空のブース（左）と抽選会の看板（右）
（ベトナムフェスティバル、2016年）

4.　当該国の地名と日本の地名：ベトナムフェスティバルを事例に

　ここまで、国フェス会場での国名や都市名の使用が、必ずしもその国や都市を紹介するために用いられているわけではないことを見てきた。最高のもの、豪華なもの、寄せ集めたものという意味を示したり、会場内の拠点や数詞に変わる役割を果たしたりする。周辺に配置された言語・非言語の諸記号とセットになって、その場面に固有の意味を帯びる。ここで、ベトナムフェスティバル（2017年）を例に、飲食・物販エリア（ステージや本部を除く）の言語景観に表出する、ベトナムと日本の地名を集計したものを見ていきたい（**表4-1**）。

　表にまとめる上で、以下の編集を行った。同様のパネルが複数枚設置されている場合には、1つとカウントした。抽出は当日の会場で撮影した映像および画像から行っているが、カウントするのは来場者に読まれることを想定して掲げられているものに限定した。たとえば、注視して見ると食材が梱包されている段ボー

表4-1：ベトナムフェスティバル（2017年）の言語景観に表出する地名

地域	国	省・地方	都市	エリア	所在地	表出数	国別計
アジア						5	
	ベトナム					104	118
		ベンチェ省				1	
			ハノイ			9	
			ホーチミン			2	
			ダナン			2	
	日本					3	28
			東京			3	
				台場、渋谷など		8	
					代々木駅前など	14	
	タイ					10	12
		イーサン地方				2	
		台湾				2	2
	アメリカ					1	1
	トルコ					1	1
合計						167	

ルに原産国名や産地名が印字されていることがある。ブースの奥に段ボールが山積みされている場合、重ねられた段ボールの数だけ、その地名が認められることになる。しかし、これは来場者に「読ませる」ことを意図して陳列しているとは考えにくいため、データには含めない、といった操作である。なお、表記はカタカナ、ローマ字とさまざまであるが、ここでは日本語の表記でまとめている。

　国フェス会場の掲示物に文字として含まれる地名を、地域／国／省・地方／都市／エリア／所在地で分類したところ、全体で167件となった。地域とは国より大きな単位とし、「東南アジア」、「アジア」や「アフリカ」、「世界」なども想定していたが、ベトナムフェスティバル（2017年）で、ここに分類されたのは「アジア」のみで5件だった。

　国名は最も多く、なかでも「ベトナム」（104件）が抜きん出ており地名全体の62%を占める。続いて多い国名は「日本」（3件）ではなく、「タイ」（10件）であった。加えて、アメリカ（1件）、トルコ（1件）が確認された。「台湾」（1件）を国としてカウントすべきかどうかは見解の分かれるところとなろう。続く4.1で詳述する。ここでは文字情報を集めているため、このような結果となっているが、その国を直示する記号（たとえば国旗）を含めれば、異なる傾向が見られたであろうことを付記しておく。

　「省・地方」には、国の中の省、州、地方などの単位を区分した。ベトナム国内の省名については、資材（この場合は木材）の生産拠点を紹介するのに示された「Bến Tre省」（ベンチェ省）1件のみであった。日本については「首都圏」や「関東地方」等の表出が想定されるが該当するものはなかった。タイについては飲食ブースで、東北地方の「イーサン」（「イサーン」と表記の揺れあり）が2件確認された。

　都市名はベトナム国内では「ハノイ」（9件）、「ホーチミン」（2件、旧来の呼称「サイゴン」（1件）を含めている）、「ダナン」（2件）の計13件であった。「ハノイ」の表出については4.2で詳述する。

　3件ずつしかない「日本」、「東京」だが、より細かい地名の表出は多く、「台場」「渋谷」「高円寺」などのエリア名が8件、最寄り駅やより詳しい住所などのアクセス情報を示しているものが14件となった。4.3で詳述する。

4.1　他国名の表出

　ベトナムフェスティバルで、ベトナム以外の国名が表出する場面には、タイレ

図4-4：タイレストランによるベトナム料理の提供
（ベトナムフェスティバル、2017年）

ストランの出店、酒類の販売、ケバブのキッチンカーの3つがあった。いずれも
ベトナムフェスティバル独自のことではなく、他の国フェスでも類似の事例が確
認された。

①タイレストランの出店

　まず、ベトナムフェスティバルで「タイ」という国名の表出が多くなるのは、
タイレストランの出店が一定数あるためである。類似の事例は、東南アジアの
国を対象とした他のフェスティバル（たとえば、ラオスフェスティバル）（第2章
参照）でも認められた。これには、首都圏のタイ料理レストランおよびキッチン
カー営業者の層の厚さが関係している。

　加えて、タイレストランで料理人として働くベトナム人やラオス人など、東南
アジア出身者の存在がある。その場合、普段はタイ料理を提供しているレストラ
ンであっても、ベトナムフェスティバルへの出店のために、ベトナム人料理人が
中心となってメニュー提案をしたというエピソードも聞かれる。ベトナムフェス
ティバルにタイレストランが単独で出店しているというよりも、在日ベトナム人
と在日タイ人の人的つながりによって出店しているケースが見られる。その場合
は「タイ・ベトナム料理」というように並列させて表示されたり、タイ料理とベ
トナム料理の画像・説明付きメニューを左右に分けて配置したりと、各店の考え
方や工夫による提示がなされる（**図4-4**）。こうした「相乗り」とも言える参加
形態は、ベトナム料理の認知度が高まり、ベトナムレストランの店舗数が首都圏
に増えるに伴って見られなくなっていく。

②さまざまな国のビールの陳列

　次に、酒類の販売場面に見られる他国表出の事例を見る。**図4-5**は、ビールや
サワーなどの酒類を主に販売するブースの画像である。最上部には、英語とカ
タカナで「Asia Beer Bar／アジアビールバー」と書かれ、脇にはビールがなみ
なみと注がれたジョッキの画が配置されている。ただし会場では缶での販売で、
ジョッキでの提供は行われていないため、これはイメージ伝達のための画である。
バナーの下には、中央にベトナムの国旗が貼られている。その左右に、縦書きの
筆文字で「ビール冷えてます」との張り紙がある。この張り紙は日本の意匠とい
えよう。張り紙と国旗の両脇にベトナムフェスティバルのシンボルのひとつとし
てチラシにも掲載されているランタンが装飾されており、記号的には日本とベト

商品画像周辺のテクスト（【　】内は画、下線は筆者）

番号	商品画像上部	商品画像下部	張り紙
1	ベトナム【ベトナム国旗】	333（バーバーバー）500円	人気No.1
2	タイ【タイ国旗】	シンハー 500円	超おすすめ！
15	【日本国旗】	ハイボール 500円	飲みやすい！
31	【日本国旗】	ノンアルコール 300円	
	大人気！おまけつき★セット販売★　3本　5本　10本　20本		
15	【日本国旗】	ハイボール 500円	
	【日本国旗】	Japanese Green Tea　お茶	
9	【台湾の旗】	ライチビール 500円	台湾で大人気！
10	【台湾の旗】	マンゴービール 500円	蜂蜜ビール
11	台湾【台湾の旗】	パイナップルビール 500円	￥500 ♥【ハチ】
13	日本【日本国旗】	オリオン　500円	残りわずか！

図4-5：酒類を提供するブース
（ベトナムフェスティバル、2017年）

ナムの両方が演出されていると読める。

　バナーの下のメニューパネルに注目する。11枚のうち10枚は同じ構成である。飲み物の画が一番大きく目立つように掲載されている。その下部には、商品名、価格、番号が記載されている。そのうち6枚には、パネル下に横長の張り紙が貼り付けられている。パネル上部には、左上に国旗が印刷され（1枚だけ右上）、4枚には吹き出しに国名が国旗付きで記載されている。右から、「1　ベトナム」、「2　タイ」、「11　台湾」、「13　日本」となっている。

　番号は注文のやりとりを簡単・確実にするために振られたものと見える。通常、番号は左から右に大きくなっていくものだが、ここでは逆になっている。これは左に既知のもの、右に新しいものを配置する法則（Kress & van Leeuwen 2001）が関係しているのかもしれないが、メインステージと本部・インフォメーションブースがこのブースの右にあるので、人の往来が多い、会場の中心に近い方から、「1　ベトナム」が配置されたとも考えられる。

　ここで注目されるのは、ベトナムフェスティバルでベトナム以外の国々のものを陳列する際に、それらを含む上位概念である「アジア」を伴っているという点である。逆にいうと、「アジア」という広範な地域を掲げることで、ベトナムを含め他の国名を表出させやすくなる。その際、ベトナムは筆頭（番号「1」を付与）となる。こうした記号的な操作は、たとえばタイフェスティバルや台湾フェスティバルで、同じ商品を、順序を並べ替えるだけで成立する。実際に、他の国フェスにおいて同様の提示方法が認められた。ひと揃えの種類を保有していれば、その並び順を変えるだけでそれぞれの国フェスに沿った演出が可能になるのである。

　日本と台湾の表出についても見ておきたい。日本の国旗が付されているのは5枚あるが、そのうち1枚にだけ「日本」と文字情報も加えられている。付与されているのは、沖縄に本社がある「オリオンビール」である。「日本」という文字情報が加えられていない商品と、付与されている「オリオンビール」との違いは、東京で暮らす人々にとっての馴染みの程度と考えられる。つまり、アジアの酒類を陳列した際、沖縄の「オリオンビール」を知らない人がいるかもしれないという予測がはたらき、そこに「日本」という但書きが付与されたと考えられる。

　さらに、オリオンビールに「沖縄」ではなく「日本」と国名が付されているところから、「台湾」も、ここでは日本、ベトナム、タイに並んで国名として扱われていると読める。このような国名の並列は、掲示する人々や掲示が行われる場所、状況における国家認識を露呈する。その際、並列という記号の操作によって

地域性（この場合は「沖縄」）が後景化される可能性もあることは留意しておくべきであろう（並列関係については次の③の事例も参照）。

③トルコとアメリカが掲示されるキッチンカー

　最後にトルコとアメリカの表出について簡単に触れておく。これはケバブとフライドポテトを販売するキッチンカーに掲示されていたものである。ケバブはトルコに限った食文化ではないが、代々木公園で開催されるフェスティバルでケバブ店のキッチンカーは常連となっている。ケバブ店は、ハラルフードを提供できるという面でも、国フェスのような公共の催事では重要な存在となる。

　フライドポテトもファーストフードの定番である。フライドポテトを、わざわざアメリカの食文化と銘打って提供するということは日常的にはほとんど見られないだろう。国フェスという場の設定が、外来のさまざまな文化を紹介するという文脈を生み、「トルコのケバブ」、「アメリカのフライドポテト」という国名の並列的掲示を誘ったと見える。

4.2　首都名、ハノイの表出

　ハノイ、ホーチミン、ダナンという、ベトナムを代表する3都市が、数詞の代わりに用いられている例を第3節で紹介した。2017年のベトナムフェスティバルでは「ハノイ」の表出が9件と、他の2都市（各2件）を大きく上回っている。これは、2016年5月に当時のアメリカ合衆国大統領、バラク・オバマ氏がハノイの大衆的なレストランで6ドルの夕食をとったことが世界中のメディアで報道されたことと関連している（e.g. The Sydney Morning Herald 2016）。この時に注文したのが、ブンチャー（Bún Chả）というハノイ発祥とされる麺料理であった。

　以前から、「ベトナムには多様な麺文化があるのに、日本で紹介されるのはフォーばかり」との指摘は、国フェスに参加する在日ベトナム人や、ベトナムに暮らした経験のある日本人から時折聞くことがあった。2015年以前のベトナムフェスティバルでも、数は少ないが「ベトナム北部の味」、「ベトナム風つけ麺」としてブンチャーをメニューに入れている店舗は認められる。

　2016年のベトナムフェスティバルは6月11日、12日で、オバマ氏がハノイでブンチャーを高く評価したことが報道された数週間後だった。ブンチャーを提供する店舗では、大きく「オバマ首相、イチオシのベトナム料理」と書き込みがなされ、「ブンチャーハノイ」を求め、来場者の長い行列ができていた。翌2017年

のベトナムフェスティバルでは、もはや「オバマ大統領」の記述は見られなかったが、ハノイの代表的な麺料理として「ブンチャーハノイ」が複数の店舗で提供されるようになり、その結果「ハノイ」の表出件数も上がったのである。

この事例は、日本で開催されるベトナムフェスティバルに、ベトナムで起きた国際的なニュースが、すぐさま影響を与える様相を例示する。ハノイのレストランにアメリカ合衆国大統領が訪れたという出来事が、東京のベトナムフェスティバルにおけるハノイの存在感や認知度、市場価値を高めたのである。この事例は、2.1で見た、ブラジルでのオリンピック・パラリンピック開催が即、ブラジルフェスティバルの談話資源となることにも通じているといえよう。

4.3　ベトナムの地名と日本の地名

表4-1に戻り、ベトナムと日本の地名使用の傾向をまとめる。ベトナムの地名に関しては、国名が圧倒的に多い。一方で、ベトナム国内の地名については、あまり紹介されていない。ハノイの表出件数が多いのは、オバマ大統領（当時）のハノイ訪問の影響を受けてのことだった。この点を勘案すると、ベトナム国内のより具体的な地域についての紹介は、特別な出来事がない限り、かなり限定されていることが窺える。

一方、日本については「日本」という表記は少ないものの、東京の中のエリア名や駅名、所在地などは合計で22件にのぼる。これは、東京およびその周辺でベトナム関連の団体を運営したり、ビジネスを展開している人々がブースエリアに出店しているためである。団体を紹介するための記載もあるが、「○○駅前」といったアクセス情報ともなる記載には、国フェス終了後もつながりが継続することへの期待も込められているだろう。日本の地名に関しては、小さな単位ほど多く表出する傾向が認められた。

このように、ベトナムと日本の地名表記の傾向は、対照的な構図をもっているといえる。こうした比率を確認することは、それぞれの国フェスが、当該国やその文化をより詳細に伝えようとする催しなのか、あるいは日本で当該国との関連をもちながら運営している組織や商店が集う場になっているのかを探るひとつの指標ともなる。すなわち、掲示物に表出する言語景観を質的に分析していくことは、国フェスにおける文化紹介の範疇や、日本におけるエスニックビジネスの活力、層の厚さ、多様性の程度等を推し量る手がかりにもなるといえる。

5.　本章のまとめ

　本章では、国フェスの言語景観調査から、国フェスの会場内に提示される国名と地名について、主にテクストを中心に見た。国フェスが冠する国名は繰り返し提示される。15件の国フェスを横断的に見たところ、国名の表出は、①主に文化や産品の原産・類型・ジャンルを示す（たとえば、インドシルク）、②その国の語や表現に先行して文化や産品や概念を説明・補足する（たとえば、ブラジルBBQシェラスコ）、③格付けや肯定的な語に隣接して高評価、強調に寄与する（たとえば、本場台湾の味）、④擬人化されて語りかけられる（たとえば、「こんにちは、ベトナム」）、⑤愛情など感情を寄せる対象とされる（たとえば、I♥MYANMAR）、⑥空間や隙間を埋めたり、装飾に用いられたりする、といった働きを伴っていることが整理された。

　当該国と共に、別の国や地名が認められる掲示物について、諸記号との位置関係や隣接関係も含めて分析した。ブラジルフェスティバルのステージ装飾の事例からは、より大きな世界規模のイベントや、より小さな単位である都市に関連づけられ、国名が際立つよう掲げられていることを見た。また、One Love Jamaica Festival出店のキッチンカーからは、「特別な」、「豪華な」、「盛り合わせ」などの意味で国名がメニュー名に用いられている事例を見た。そこでは、出店者が日常の営業において大切にしている価値観（本章の事例では、健康志向や丁寧さ、手作りの温かみ）も同時に束ねられる。その場合、束ねられる価値づけは、その国が備える特徴や質感とは直接関連しないものも含まれることになる。人々のさまざまな次元での価値づけが昇華されたところに、国名が用いられる事例を示した。

　都市名は、ミャンマー祭りの会場で、ミャンマーの二大都市にちなんで、ヤンゴンステージとマンダレーステージが設営される例に見られるように、国フェス会場内の拠点を示すために用いられる。また、ベトナムフェスティバルでは、抽選会の賞名としてベトナムの3つの都市名が採用されている例を示した。そこでは、都市名は数詞の代用となっている。都市そのものを紹介するのではなく、会場内の複数の拠点や、序数詞として都市名が用いられる事例を紹介した。

　当該国以外の複数の国名の出現は、より大きな単位（世界や国際、アジアなど）によって出現しやすくなる。酒類の販売の事例では、当該国が筆頭となり、日本と隣接する国々が飛び石のように出現することを見た。こうした国名を並列

させる提示方法は、諸外国の物品を取り揃えている店舗であれば、並び順を入れ替えるだけで、他の国フェスでも展開可能な方法となる。

これらの事例は、紹介した国フェスのみで見られる特別な談話戦略ではなく、類似の用法が異なる場面で確認される。本章で紹介した事例は、記号の配置などから詳細に談話を見たが、そのデザインをする人が、入念に趣向を凝らしてそのような戦略を取っているということではない。むしろ、外国を紹介する際の提示は一般的にそのようになされる、と考えたほうが良いだろう。国フェスにおける「国家の談話」として循環しているものと考えられる。

また、日本国内のエスニックビジネスの展開規模や浸透度などが関連して他国名が表出する例も見た。たとえば、ベトナム料理レストランが首都圏で発展途上にある場合、ベトナム人料理人はタイ料理レストランで雇用され、下積みを積んだりする。そのようなレストランがベトナムフェスティバルに出店する場合、出店団体名はタイ料理レストランとなる。こうした「相乗り」ともいえる状態は、

図4-6：果物店のブース
（ベトナムフェスティバル、2017年）

ベトナムフェスティバルのベトナムらしさを減ずる一面もある。しかし、その場合、ベトナム人従業員がメニュー提案や提供方法、提示方法のアイディア等を考案するよう任されることもある。このような機会は、ベトナム料理の認知度を高めるだけではなく、エスニックビジネスを担う在日外国人のエンパワメントに寄与する一面も期待される（Saruhashi 2018）。そして、この傾向も、会場周辺のエスニックビジネスの層が発展途上にある段階では、国フェスに共通して見られることなのである。

　このように、国フェスの言語景観について、エスノグラフィックに国名や地名の表出を見ることで、国や都市の並列関係や序列関係を明らかにしたり、特定の国に付与される価値づけや意味内容を明らかにすることができる。加えて、日本国内で展開されているエスニックビジネスの活性度や相互協力関係、発展過程などを知る手がかりにもなる。単に表出数を数えるのではなく、その背景を探ることで、人的なつながりや、在日外国人コミュニティ内の位置づけなどにも触れることができる。

　本章ではテクストで表される国名や地名を中心に見てきた。ただし、国家表象は国旗や代表的な観光地、民族衣装などで代替されることもある。また、来場者にとって、何が「その国らしさ」を印象づけているかについては、さらなる調査の余地がある。たとえば、**図4-6**は、ベトナムフェスティバルで出店していた果物店の写真である。そこには一言も「ベトナム」というテクストは掲げられていない。国旗や、民族を示す装飾もない。しかし、日本の果物店ではあまり見かけない果物や、上から果物をつるすという陳列方法は、テクストで「ベトナム」と読めることよりも、ベトナムや東南アジアの光景や文化様式を見る側に印象づける可能性もある。何が当該国を表象する記号となるかは、あらゆる可能性に開かれている。

総合司会者の役割

演目紹介、時間調整、会場案内、通訳、そして危機管理

メインステージは国フェスの中心的な場所である。終日、あらゆるジャンルのプログラムが用意され、観客の入れ替わりも活発である。だから、メインステージを取り仕切る総合司会者の役割は、多岐にわたる。演者や演目の紹介をはじめ、演目間の時間調整、来場者へのアナウンス、会場で行われているその他の活動の紹介などを、間断なく、臨機応変にこなさなくてはならない。国フェスのステージに立つ総合司会者は通訳を兼務している場合もあり、その場合は1人で何役もこなすことになる。

誰でも出入りが自由な公共空間で開催される国フェスでは、不測の事態も起こりうる。そのような場合には、瞬時の判断と、的確な対応が求められる。不測の事態への対応の例をフィールドノーツから紹介する。

ステージ中央には、来日した女性タレントがにこやかに立っている。通訳も兼ねている総合司会者（以下、Aとする）はステージの左手に斜めに立ち、手元のボードに書かれた紹介文を、2言語を切り替えながら読み上げている。ひとりの人物（以下、Xとする）が観客席の左端からステージに接近していく。女性タレントに向かっていくようだ（X'の位置へ）。Aは紹介文を読み上げながら、目の端でXの姿を捉えると、Xと女性タレントを結ぶ直線の間に、タレントの盾になるように自身の立ち位置を変え（Aの位置からA'へ）、視線をボードから上げ、客席を取り巻くように立つ整理員に向けた。整理員の1人が異変に気づき、ステージにかけより、Xの肘に手を添えて、ステージから離れるように誘導していく。AはXが場外に誘導されていくのを認め、元の立ち位置に戻った。その

間、何事も起こっていないかのように紹介文を読み続けていた。

　観客席の最前列とステージの間には2メートルくらいのスペースがある。そこには特に「立ち入り禁止」などの表示はない。ステージ上で何も行われていない時であれば、人々はそこを通路として利用する。しかし、一旦演目が始まると、滅多に人が立ち入ること

はない。席の移動のために通行する場合であっても、腰をかがめ、下を向き、足早に移動する。Xは、何が目的でステージに接近したのか、どのような文化背景をもつ人物なのかは分からない。しかし、その行動は即座に「異常」なことと捉えられ、それを排除し、正常な状態に戻すよう総合司会者は調整行動を取ったのである。それはステージの進行を妨げずに行われた。

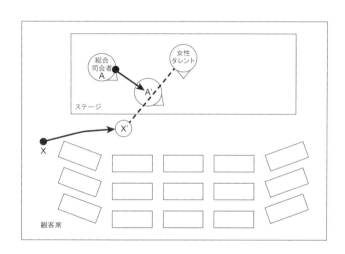

　同じ文化に属す人々の間であれば、リスク管理についてもある程度の予測がつくだろう。たとえばステージに立つ人の知名度や注目度、話題性に応じて、整理員の配置や人数が調整される。子どもに人気の演目や演者であれば、上演中にあがる奇声や、ステージへの接近も、ある程度、許容される。

上演中の発声や行動が、許されることとなるか、異常なことと感知されるかは、人々が了解している公共空間の行動規範についての認識にもよる。そのため、少なくとも2つ以上の文化圏の活動が展開される国フェスで進行を務める総合司会者には、より臨機応変な対応が求められるのである。

第5章

トークショーでの 二言語使用

通訳が介在する
相互作用

特設のストリート・ラグビー場（アイ・ラブ・アイルランド・フェスティバル、2017年）

1. はじめに

　国フェスは、国名を冠したフェスティバルということから、国を代表した発言や演出が多く見られる。一方で、誰でも出入り可能な公園等で開催され、参加費なども徴収していない。そのため、フェスティバルを目的に集まる人もいるが、たまたま通りかかって足を止める人や、フェスティバルを横目に見ながら通過するだけの人など不特定多数の人々が介在する。そこではさまざまな相互作用場面が認められる。一見、混沌とした場にも見えるが、Goffman（1983）が提示する相互作用秩序の枠組みに照らすと、ある程度、場面の整理が可能となる。

1. 単独（singles）あるいは連れ立つ人々（withs）。単なる通行人となることもあれば、人の流れや列を構成する場面もある。
2. 目的や一貫性のある接触（contacts）。電話応答や挨拶を交わす場面など。
3. 相互依存的な小集団。初対面でも役割や慣習を互いに了解している。接客場面など。
4. 舞台形式（platform format）。活動とそれを見る観客で成り立つ。やや制度化されている。
5. 祝祭行事（celebrative occasions）。あらかじめ参加者や進行が設定されている。制度化されている。

　国フェスの会場では、単独で歩く人もいれば、何人かで連れ立っている人々もいる。彼らは個々に参加者であるが、人気商品の前では行列をつくりだす。また、会場内には、久しぶりに出会って声をかけ合う人々や、互いに労いあう人々も見える。彼らは手短かに言葉を交わした後、それぞれ元の場所に戻っていく。立ち並ぶ出店は一目で何を営業しているかが分かるように提示・設営されており、通行人はいつでも客として期待されている相互作用秩序に参加することができる。Blommaert, Collins, and Slembrouck（2005）は、こうした相互作用秩序の形成や参加について、多言語が行き交う空間に援用して分析することの意義と可能性を指摘している。

　ステージ上では常に言語選択が生じている。ステージに立つ人にとって、当該国の言語（たとえば、ベトナムフェスティバルならベトナム語）を用いるか、開催地の言語（日本語）を用いるか、あるいは別の言語（たとえば、国際共通語と

113

しての英語）にするか、これらを織り交ぜて進行していくかなど、言語の選択と組み合わせは無数に考えられる。それは、発話者の言語力と言語への態度、ステージ上で披露する内容、催事主催者や観客の期待、実際の観客の反応などに左右される。

　ステージ上で披露する内容が、伝統芸能や郷土芸能の場合、都市部で流通している言語とは異なる言語や方言、古語の場合もある。どこまで言語をそのままとするか、あるいは現代語に置き換えるか、日本語または英語に置き換えて紹介するのか、通訳や翻訳を入れるのか、といった判断が必要になるだろう。

　舞台形式とは、かならずしも劇場にあるようなステージが設置されている必要はなく、活動を展開する人と、それを見る観客の存在があれば成立する。祭りや縁日には、即興の舞台形式がつきもので（秦・坂本 1993）、国フェスの会場にはその両者が認められる。本章では、アイ・ラブ・アイルランド・フェスティバルの、メインステージでの相互作用の過程を見る。メインステージは他の舞台形式よりも公式であることが、ステージの広さや高さ、観客席の設置とその広さなどによって示される。一方で、観客席の出入りや、観客に期待されていることは緩やかで、Goffman（1983）が類型化した祝祭行事に比べれば制度化の度合いは低いといえよう。

　また、ここでは、通訳が配置されているトークショーを取り上げる。通訳の配置は、当該国の言語と、開催地の言語が異なる国フェスでは重要な役割を担う。通訳はあらかじめ翻訳された文章を読み上げる場面もあれば、ステージに立つ人の発話あるいは演者と観客のやりとりを逐次通訳する場面もあれば、特定の人の傍らで進行の様子を伝えるウィスパリング通訳に徹する場面もある。こうした場面の相互作用や場面転換の過程を見ていくことは、国フェスが誰に対して何を伝える場になっているかを探る手がかりともなる。

2.　事例概要

　表5-1は、アイ・ラブ・アイルランド・フェスティバルのメインステージのプログラムについて、そのタイムテーブルをジャンル名で整理したものである。18のプログラムが組まれ、音楽は最も多く7つで、続いてダンス、式典、トークショーが各3つずつ、ファッションショーが2回開催された。メインステージでは、終日、メイン司会者（後述のJM）と司会兼通訳（後述のBM）が進行し

表5-1：アイ・ラブ・アイルランド・フェスティバル（2017年）の
メインステージプログラム（網掛け部分：本章で取り上げる事例）

1日目	2日目
1. 音楽	10. ダンス
2. 音楽	11. 音楽
3. 音楽	12. ファッションショー
4. 式典（開会式）	13. トークショー
5. ファッションショー	14. 式典（エコ事業 表彰式）
6. ダンス	15. トークショー
7. トークショー	16. ダンス
8. 音楽	17. 式典（閉会式）
9. 音楽	18. 音楽

ていた。

　式典とトークショーは話すことで成り立つイベントであることから、全体の発話量も通訳場面も他のプログラムより格段に多くなる。なかでも式典は、公式性の高さにより、通訳者はあらかじめ翻訳された原稿を読む時間が長かった。一方で、トークショーでは、詳細な台本は用意されておらず、その場で活発な相互作用が展開されていく様子が確認された。

　トークショーは初日に1回、2日目に2回と、計3回行われたが、いずれもテーマはラグビーだった。これは、日本でのラグビーワールドカップ開催を2019年に控えていたことに加え、ラグビーがアイルランドの人気スポーツであることが関連づけられていた。3回とも重複して登壇する人もいたが、メインテーマは第1回が日本代表（男子）、第2回は日本代表（女子）、第3回はストリート・ラグビーについてで、それぞれ異なっていた。会場内にはストリート・ラグビー場が設置され（本章タイトルページの図版参照）、来場者は誰でも参加可能となっていた。

　初日のトークショー（表5-1、網掛け部分）は、フェスティバル初回のトークショーであり、進行の調整を参与者がその場で行う様子が見られた。すなわち制度的にはバイリンガル場面が設定されていたわけだが、それをどう展開していくかは、その場での調整や交渉によって進められた。第2回以降は、前回の経験が生かされている様子が見られた。そのため、本論では第1回目のトークショーでの相互

図5-1：トークショーの配置図
（アイ・ラブ・アイルランド・フェスティバル、2017年）

作用について詳細に見ていく。

　図5-1はステージ上の配置図である。観客席から見て左端から、総合司会者が2人（BMとJM）、続いてトークショーに参加するゲストが4人並んでいた。総合司会者は両名とも日本語が母語で、BMは日英の通訳も兼ねていた。ゲスト4人のうち、最も多く発言したのは、ラグビー関連団体の役員を務めるJS1と現役ラグビー選手のJS2で、2人とも男性である。彼ら2人を挟んで、左にミス・ワールド日本代表の女性（JS3）が、右にミス・ワールドアイルランド代表の女性（IE）が列席した。右端のBSは、このトークショーの企画調整も行った人物で、その旨も併せて、この場では通訳としての参加であることがJMによって紹介された。

　また、トークショーでは観客との相互作用も少なからず確認された。すなわち、本事例の参与者は、舞台上7人と観客の8主体ということになる。その相互作用はかなり複雑となることが想像されるだろう。以下に掲載する抜粋では、BMとJS3はほとんど発言していないが、トークショー全体を通して2人の発話量は少なかった。特に、BMは冒頭の登壇者紹介で、「BSがこのトークショーの通訳を担う」と英訳して以降、発言することはなかった。

3. トークショーの相互作用分析

　30分のトークショーは、話の展開により6場面に区切ることができた。①登壇者の紹介、②JS1によるストリート・ラグビーの紹介、③JS2によるラグビー日本代表の様子、④IEによるアイルランドのラグビー人気、⑤ラグビーワールドカップ開催に向け期待や意気込みがそれぞれ語られ、最後は、⑥応援ソングの披露で締めくくられた。

　データ分析では、まず展開②の冒頭で、通訳のやり方が調整・共有されていく場面に注目する。続いて、日本語、あるいは英語のモノリンガルに移行したり、バイリンガルに戻っていったりする動的な場面に注目する。それは、展開③から展開④に移行する場面にも重なっている。

3.1　バイリンガル場面の調整と共有

　【抜粋1】は、総合司会者のJMが登壇者の紹介を終え、最初の話題として、ストリート・ラグビーについてJS1に説明を求める場面である。冒頭の紹介では、BMによる通訳がなされていた。JMが人物を紹介するごとに、逐次通訳をBMが行った。それは手元のボードを見ながらで、あらかじめ翻訳された文章を読み上げている様子だった。

　【抜粋1】は、トークの内容に入った場面でもあるが、同時に、通訳（BS）をどのように入れて進めるか、すなわちメタコミュニケーションが確認された場面でもある。メタコミュニケーションとは、コミュニケーション参与者が、今参加しているコミュニケーションがどのような種類のものなのかを言語化して説明したり、示したりすることを指す (Silverstein 1993)。ここでは、通訳の役割について、JMとBSの間に認識の差があったことも露呈している。すなわち、この場面は、バイリンガル場面についての認識の違いが露呈し、調整がなされ、合意が形成される場面でもある。主な発話者は**図5-1①**（網掛け部分）に示した三者で、観客との相互作用も認められる。（トランスクリプション記号。＝ 間隙のない発話、(数字) 沈黙の長さ、(( )) 身体動作、( ) 内容の補足、下線 分析上の注目箇所。）

【抜粋1】

1　JM:　もう直球ですよ、ストリート・ラグビーってなんですか、これは
2　JS1:　ええとですね、今日も、あのーこの裏っかわに、ラグビー場を敷いて＝

3	JM:	= ましたね
4	JS1:	ええ、横幅が 7 メートル、縦が 18.5 メートルのちっちゃなグラウンドで =
5	JM:	= ((観客に向かって)) ご覧になりました？ みなさん？ ね
6	JS1:	((観客に向かって)) まだ、ご覧になってない
7	A:	((うなずく、首を横に振る))
8	JS1:	ですかね、ぜひ帰りにでも見てください
9	JM:	はい
10	JS1:	あの 3 人対 3 人でやるラグビーなんです
11	JM:	3 人対 3 人
12	JS1:	3 人対 3 人
13	JM:	ほーーーー

14 JS1: 本来、あの、みんなが、選手達がいてっていうのは、7 人とか 15 人なんですけど
15 JM: そうですね、多いですけど、コンパクトにできるっていうことで 3 対 3 ですよね
16 JS1: そうなんです、で、3 対 3 で、まずひとつはですね、日本の道路の、道に、道路
17 　　　 に出ていただく、ラグビーってやっぱり僕ら競技場に来ていただいて見ていただ
18 　　　 くしかないので
19 JM: そうですね
20 JS1: そうなんです、で、それをこう、街の中に（プレーヤーが）出ていって、えー、で
21 　　　 きるだけみんなに見ていただく、もしくはみんなにプレーしていただく、そうい
22 　　　 う新しいゲームなんですね（1）
23 JM: BS さん、このへんあたりまで、英語で言っていただけます？
24 BS: ((IE を指し示しながら)) やってるやってる
25 JM: ((観客席を指し示しながら)) こっちに、こっちに
26 BS: あ、そこかー　ははははは
27 JM: そこですよー　ははははは
28 BS: こっち（IE）に必死に
29 JS2: ぼくもそう思ってました
30 JM: そっちの端っこの方でずっとしゃべってるんで
31 BS: （通訳なしでも）いいじゃない、もう
32 JM: でも外国の方、いらっしゃいますよ
33 BS: Is there somebody need translation? Or is everyone fine with Japanese? Do you
34 　　　 want English?
35 A: Yah, yah!
36 BS: Do you want English? Okay ここまで全部話せっていうのはそりゃ無理でしょう。
37 　　　 どう考えても
38 JM: じゃぁ、まずは、このストリート・ラグビーの =
39 BS: Okay, so, so, basically they are talking about the street rugby. The street rugby is
40 　　　 played by three by three. And there, basically, ummm, the place is behind there, to
41 　　　 get to know the rugby to more people, like, rather than making people to go to big

42　　　　stadiums, you can actually do three by three rugby anywhere, so we hope that more

43　　　　people will appreciate rugby（観客に向かって）<u>いいよね？</u>

44　A:　（観客席から拍手）

45　BS:　<u>Okay!</u>

46　JM:　ありがとうございます。そういうことです。

47　BS:　((笑いながら))　無茶振りだよ

図5-1①：【抜粋1】の主要発話者（網掛け部分）

　【抜粋1】の展開を確認する。JMはトーク開始直後、フェスティバル会場内で実践されている「ストリート・ラグビー」は何かという「直球」の質問を投げかける。JS1の説明が始まるが、JMはしばしば途中で言葉を挟み、JS1はそれを受けつつ話を進めていく。JS1は観客の反応に応じたりもする。ゲスト（JS1）、司会（JM）、観客（A）の相互作用は活発に展開されている。

　話し方のテンポからも、JS1は「ストリート・ラグビー」という名称にある「ストリート」の意味の説明（16-17行：「日本の道路の、道に、道路に出て……」）にこぎつけようとしている様子がくみ取れる。「道＝ストリート」すなわち「街なか」でできるラグビーである、という点に到達してひと息つく。そこで語りの区切りとなる。1行目から22行目までである。

　続いて、通訳をどう入れていくかを調整する場面が、23行目から38行目までに展開される。まず、話の区切りを受けてJMは、BSにここまでの発話の英訳を直示的に促す。しかし、BSは「（既に通訳を）やってる」（24行）と応じる。ここで初めてJMとBSの通訳の役割認識の違いが露呈する。JMは観客に対する

通訳を期待しており、BSは日本語を解さない登壇者（IE）に対する通訳だと認識していたというのである。BSはIEにウィスパリング通訳を行っていた。これは3者間（JS1, JM, A）で相互作用的に進められるトークには、適したやり方に見える。しかし、その行為は、JMに「（ステージの）端っこの方でずっとしゃべってる」(30行) 行為と指摘される。これは、場合によっては「私語をしている」ことへの批判とも受け取られかねない発言である。

JMは観客に対する通訳の必要性の根拠を、観客の中の「外国の方」(32行) の存在に求める。BSは、このJMの指摘に対し、客席に直接、英語にする必要があるかを問いかける。聴衆からは、通訳を歓迎する反応が出る (35行)。BSは重ねて確認した上で「Okay」と了承するものの、これまでの日本語でのやりとりを全部英語に訳すことは「そりゃ無理」(36行) と難色を示す。通訳すべき内容を要約しかけたJMを遮り、ストリート・ラグビーについて話していたことを「they are talking about...」(39行) と前置いた上で、通訳を開始する。

39行目以降が通訳の場面となるが、その最終部（46～47行）では再度、通訳の入れ方に関連するやりとりが行われている。抜粋部以降、日本のラグビー事情についてのトークが進められたが、JMによる促しがなくとも、意味の切れ目で通訳をするという、日本語と英語が切り替えられて進んでいく過程が見られた。

このように、【抜粋1】では、トークショーのテーマであるラグビーについての内容が語られるのと同時に、トークショーの進行方法についての調整が行われている。その際、誰に対して何語で情報を届けるべきかについての認識も垣間見える。

JS1は、観客と日本語でやりとりもしており、観客を日本語話者と想定している様子が認められる。BSも通訳が必要なのは、ステージ上のアイルランド人ゲストだと認識していたと表明している。BSが、観客への通訳に難色を示すと、JMは観客に対して英語で伝えるべき根拠を「外国の方」(32行) に置いている。観客は、日本語が分かる日本人と、日本に暮らすアイルランド人というよりも、日本語を解さない外国人であると認識されているといえよう。

加えて、通訳を終えたBSの「いいよね？」(43行、下線部) という発話に注目したい。これは、JMに対してではなく観客に向けられている。観客はそれに拍手で応じ、BSは「Okay!」(45行、下線部) と通訳を終えたことを合図する。この「いいよね？」は、「通訳を適切にしましたよね？」という確認であると考えられる。先の日本語でのやりとりを、英語に適切に置き換えられたかどうかを

判断できる人は、日本語と英語のバイリンガルである。BSは、英語への訳を求める観客の存在を確認し、そうした観客に対する通訳を行い、その通訳の適切性を日英バイリンガルの観客に確認しているということになる。あるいはBSは日本のアイルランドフェスティバルに参加する在日外国人は、この程度の日本語は解ると想定しているとも考えられる。

3.2 バイリンガル場面の揺らぎ

トークショーでは中盤以降、【抜粋1】で調整されたバイリンガルでの進行が崩れるコミュニケーションが見出された。その中には日本語話者あるいは英語話者集団のいずれかに偏った場面もあったが、話者集団間の境界線が曖昧になる場面も見出された。すなわち言語場面の切り替えを明示せずにコミュニケーションを成立させようとする場面である。

以下の【抜粋2】は、30分間のトークショーで、18分程度経過した時点のものである。【抜粋1】を含む展開②では、JS1は日本や海外のラグビー事情について統計データなども交えて話していた。この間は、トークの切れ目で逐次通訳が入る、安定したバイリンガル場面が進んでいた。展開③で中心となった話し手JS2は、ラグビー日本代表選手であり、話題はオフの過ごし方や、選手間の話題など、チーム内の様子が中心となった。バイリンガルでの進行が崩れるのは、話題が日本代表の動勢（展開③）から、アイルランドのラグビー人気（展開④）へと移行する場面に重なっている。主な発話者は**図5-1**②（網掛け部分）に示した四者で、観客との相互作用も重要な意味をもつ。

【抜粋2】

48 JM: で、みなさん、JS2選手、日本代表がどのように成長していると感じてます？
49 JS2: これから強いチームと闘って、より日本も強くなる、そういうテストマッチが多
50 く開催されますので、その中の1つとして、6月にアイルランド代表と試合をし
51 ます。Ireland and Japan will match!
52 A: =Yah!（（会場から拍手、口笛の音））
53 BS: =Wow!
54 JM: そこでアイルランド絡めてくるの
55 BS: すばらしい！ Wow!
56 JS2: アイルランドでどのぐらい人気かちょっと聞いてみます。（（IEに向かって））どう
57 なんですか、アイルランドで？
58 BS: How, how popular is rugby in Ireland?

59	IE:	We are very big fans. It is one of our national sports, of course, and I'm very proud
60		of our rugby team and the team is very well and, and we are very proud of them
61	BS:	ラグビーというのは、アイルランドのナショナルスポーツだと、で、みんなほん
62		とにラグビーが好きで非常にラグビー、アイルランド強いので、非常に私も応援
63		しています、そんな感じです
64	JM:	Wow! じゃぁアイルランドとね、闘うわけだよね
65	JS2:	そうですね、さっきから（（IE を手で示し））バチバチ、一言もしゃべってません
66	BS:	You're gonna be fighting against… in June, right? So Japan and=
67	IE:	=We're friends right now but probably not later
68	BS:	今は友達だけど後は分からないって
69	JM:	あはははは、いや、それだけやっぱりね、自分の国の信じてね、応援して
70	BS:	You're believing in Irish team?
71	IE:	（（うなずく））
72	JM:	どうなんですか　Japan or Ireland どっちが勝つか予想してください
73	JS3:	にほーーーん！
74	BS:	She is saying Japan will win
75	IE:	Yah, Japan will win. I'm sure it will be a great game. And the best men will win.
76		And I will be supporting my team
77	BS:	すばらしい！ まぁ強い方が勝つということですね
78	JM:	（（JS2 に向かって）） 実際問題どうなんですか
79	JS2:	Of course! 今、もちろんランキングはアイルランドの方が上なんですけど、日本
80		もワールドカップから強くなってきていますので
81	BS:	じゃぁさ、賭けようよ
82	JM:	それ一番やっちゃいけないこと。モザイク入れなきゃ
83	BS:	食事とか、いいじゃん
84	JM:	ああ、そういうの
85	BS:	勝てば、彼（JS2）がおごる、負けたら（IE が）キスするとか
86	JS2:	僕は大丈夫ですよ
87	JM:	（（笑いながら）） なんで英語にしないんですか
88	BS:	If Japan wins, he is gonna take you for dinner. If Ireland wins, you kiss him
89	JM:	聞かないかと思っていたのに
90	BS:	Okay?
91	IE:	Okay!
92	BS:	Okay 成立。これ賭博禁止法に違反しないよね
93	JM:	しない、しない
94	BS:	今、モザイクって言われてすごくショックだった。もう映ってんのにさ
95	JM:	Joke, joke
96	IE:	He has to come to Ireland for dinner
97	JS2:	もちろんです！ Of course, I'll come!

98 JM: 意外と JS2 選手あれですね、弱気というか

99 JS2: ((照れ笑いをしながら)) JM さん、次行きましょう、次

図5-1②：【抜粋2】の主要発話者（網掛け部分）

　【抜粋2】は、日本代表チームの様子を話していたJS2が、今後の成長と結びつけて、3ヶ月後の日本対アイルランドの試合を告知する場面から始まる。アイルランドフェスティバルであるにもかかわらず、アイルランドに関連づけることなく続けられていたトークショーが、この発話をきっかけにアイルランドと結びつけられた場面でもある。それが、JM（54行）、BS（55行）による賞賛につながっている。

　以降、ステージ上、唯一のアイルランド人であるIEがトークに参加するわけだが、この場面に度々、通訳がなされない欠落や、通訳が無視される無効化、日本語と英語が入り交じって進められるコード混淆が見られた。詳細に見ていく。

　日本代表チームの成長を聞かれ、JS2がそれに答えるが、49行目から50行目の途中までは通訳が欠落する。その発話の最後「アイルランド代表と試合をします。Ireland and Japan will match!」（50-51行、下線部）は、日本語に続けて英語で間断なく、声量を徐々に上げて発話された。それに応じて客席からは歓声が上がった。日本とアイルランドが試合を控えていると知らせることは、アイルランドとの関連を示す上でも、日本代表チームにとっても重要な意味がある。会場は歓声に包まれ、一体感が感じられた。通訳者のBSも呼応に加わり、結果的にそれ以前に話された内容の英訳はなされずに進められた。

続いて、JS2は客席に向かって「アイルランドでどのぐらい人気かちょっと聞いてみます」(56行)と断ってから、IEに向かって日本語で「どうなんですか」と尋ねる。これが、再び通訳を促すシグナルとなり、通訳が介在するトークに戻っている。

後に、再び通訳が欠落する場面が確認される。総合司会のJMが「アイルランドとね、闘うわけだよね」(64行)と発言するが、これは既出の情報であり、ここまでのまとめとも取れる。それを受け、JS2は再びアイルランド人ゲストのIEに絡めた発言をする。アイルランドとの試合を控えて、敵対心から2人は会話をしていないのだと言う。もちろん、これは冗談である。2人は終始笑顔であるし、ミス・アイルランドの女性IEは、対戦国を敵視するような熱狂的ラグビーファンという様子はない。2人が話していないのは、公式なステージ上に臨席しているからに他ならず、他の列席者どうしも互いに話したりはしていない。BSはこの冗談を英語に訳す上で、先ほど訳し落としていた6月の試合に遡っている(66行)。しかし、IEは、それを遮って「We're friends right now but probably not later」(私たちは今は友達だけど、後では違うかも。67行、下線部)と発言する。通訳がIEによって無視、無効化された場面である。

ここでIEはJS2の65行目の発話について、おそらくJS2の身体動作を手がかりに、6月に行われる試合と、現在の2人の関係性にかかわるものであることを察知し、その文脈に沿った発言をしたのであろう。しかし、このJS2とIEの発言は、実際にはかみ合っていない。JS2は2人が隣同士に座っていながら一言も交わしていない理由を、日本人とアイルランド人の間の敵対心に置いている。IEは、現在こうして一緒にトークショーに参加していることからJS2と「今は友達である」(67行)と言っている。ただし、将来的には関係が破綻するかもしれないと言い、その理由はやはりラグビーの試合から生まれる敵対心である。つまり両者の発言には、現在の関係性と敵対心が生まれる時期の面で齟齬が認められる。それでも、もうすぐ行われる試合と2人の関係性について話題にしているという面では符合している。BSはかみ合っていない対話には触れず、IEの発話をそのまま日本語に訳し(68行)、再び通訳が介在する進行に戻される。

三たび、通訳が欠落するのは、78行目から80行目までの日本代表の様子についてのJS2の発話である。ここで通訳が不在になるのは、通訳者であるBS自身が、「じゃぁさ、賭けようよ」(81行、下線部)と提案をしたためである。通訳者が対話の参加者になっている。通訳の不在は、総合司会者JMによって「なんで

英語にしないんですか」（87行）という直接的な指摘によって戻される。

　詳細に見てみると、二度目の通訳の欠落部同様、ここでも対話に不整合が認められる。最初のBSによる提案「勝てば、彼（JS2）がおごる、負けたら（IEが）キスするとか」（85行）は、どちらが「勝てば」なのか、主語が省略されているため明確ではない。日本語なので、日本側の目線で話していると考えると、主語は「日本が……」で始まると考えるのが普通のように感じる。しかし、賭けの成立要件から考えると、アイルランドが勝てば日本人選手がアイルランド人にご馳走し、アイルランドが負ければ、アイルランド人女性が日本人選手にキスをする、と考えるのが普通である。同時に、仮に日本人選手が「ご馳走する」ことになったとしても、相手がミス・アイルランドであることから、「賭け」としては、どちらに転んでも日本人選手にとって好ましい帰結になるとも考えられる。JS2が「僕は大丈夫ですよ」(86行) と「賭け」に乗ったのは、日本が勝つという自信によるものかもしれないし、結果、どちらに転んでも良い話であるからかもしれないし、そもそもこの提案全体が冗談であると分かっているからかもしれない。

　JMから、英語でIEに伝えないことを指摘されたBSは、すぐさま英訳して伝える。ここで、85行目の省略された主語は、アイルランドではなく日本であったことが言明される。「賭け」の内容は、日本が勝ったらJS2がIEにご馳走し、アイルランドが勝ったらIEがJS2にキスをする、というものである。しかし、この条件は、ミス・アイルランドが日本人ラグビー選手にキスをする権利を得たいと考えるのが普通だという社会通念がなければ成り立たない。そのため、BSは「賭け」の論理を取り違えていると理解される。ただし、これは、BSの思慮不足や論理破綻というよりは、「賭け」そのものが端から冗談であるためと考えた方がよいだろう。

　「賭け」は冗談だということが明らかなので、この賭けの論理に誤謬があることは、日本語であれ、英語であれ、誰も気にとめていない様子である。IEも即座に、BSに提案された「賭け」に乗る。92行目の後半からは、賭けること自体の是非をめぐるやりとりが日本語でなされるが、IEは「ご馳走するためにJS2はアイルランドに来なくてはいけない」（96行）と会話に参加する。これはアイルランドが勝利するに違いないというIEの確信を含んでいる。この部分から、IEは、BSが訳した「If Japan wins, ...」（88行）は、「If Ireland wins, ...」の言い間違いと解釈していることが分かる。

　これに対して、JS2は通訳を待たずに、「もちろんです！　Of course, I'll

come!」（97行）と応じる。この発言は明るく快活になされた。これは、BSの通訳「If Japan wins……」（88行）を受けて「日本が勝ったら、IEとディナーを共にできる」と理解しての即答とも考えられるし、日本が負けても、IEとディナーを共にするのは望ましいことだから快諾しているとも読める。日本が負けるはずはないから、アイルランドへ行くこともなかろうという自信の現れという可能性もある。あるいは、全体が冗談なので、場が盛り上がるように対応しているとも見える。相互作用を見るだけでは、JS2の発話の真意に迫ることはできないが、観客という立場からすると、最後の可能性、「全体が冗談なので、場が盛り上がるように対応した」ように感じ取れる。

　この反応に違和感を表明するのがJMである。JMは、IEにご馳走することを積極的に考えるということは、日本が負けることを予測している、あるいは負けてもいいと思っていると理解したのだろう。「意外と……弱気」（98行）と指摘する。その点を突かれたJS2は「次行きましょう」と、この話題そのものを終えるよう提案し、この後、「賭け」の話題に戻ることはなかった。このように、「賭け」を持ち出して以降のやりとりは、互いの意図について曖昧なまま続けられている。92行目の後半以降は、日本語になったり英語になったりするが、それぞれの言語に訳されることなく進められている。

4.　　通訳が欠落する契機と共起すること

　【抜粋2】の相互作用について、通訳が欠落したきっかけと、その場面に共起している出来事を考察する。さらに、日本語と英語で伝達されたことは何かについて整理し、通訳の欠落する結果を論じることとする。

4.1　通訳が欠落する契機
　まず、通訳が欠落した四場面について、それを引き起こしたきっかけを考察する。

　最初の場面で、JS2が語ったラグビー日本代表の成長（49〜50行）は、通訳がなされずに進んだ。これは、発話者であるJS2自身が、トークの中で最も強調したい事柄である、もうすぐ日本とアイルランドのテストマッチが行われるということを日本語と英語の両言語で観客に伝えたためである。それに対し、観客も歓声で応えたことも寄与していよう。日英語の区分なく会場全体が盛り上がった

ことで、それ以前の内容について、遡ってまで通訳されることはなかったと考えられる。

次に通訳が欠落するのは、65行目のJS2とIEの関係性について言及される場面である。通訳者は通訳をしかけるが、IEはそれを遮り無効化している。ステージ上で、日本語での会話に参加できないのはIEのみで、BSは当初、IEのために通訳として入ると認識していた。これまでの進行で、観客には日本語と英語が分かるバイリンガルも少なくないことも了解されている。こうした了解も手伝って、IEはJS2が何を話題にしているかを察知できたところで通訳を退けたとも考えられる。そして、ラグビーで対戦するからといって、両者の関係性が悪化するなどということは冗談と認識されていただろう。話題の面でも、通訳を介して正確に進めるほどの内容ではないという了解があったと考えられる。

三度目に通訳が欠落するのは、79行目から80行目の、ラグビーの世界ランキングと日本代表の成長についてである。これは通訳者であるBS自身が「賭け」の話題を持ち出したことで割愛された。また、「賭け」に直接かかわるIEを除外して話が進んでいくことを、JMが指摘したことも手伝っている。通訳の省略を不誠実なことのように指摘されたBSは、それを払拭するように通訳に戻っている。その結果、「賭け」以前に話されていた内容は、通訳がなされなかった。

最後、92行目の中盤以降、通訳なしで展開される。これは通訳者（BS）がトーク参加者になっていること、IEが通訳を待たずに「賭け」に乗った上で付されるコメント「He has to come to Ireland for dinner」（96行）を発話したこと、そのコメントへの応答をJS2が日本語と英語の両方で応対したこと、その応答を揶揄するようなJMの日本語でのコメントに対しJS2が話題転換を提案したことなどが関係している。発話者間の相互作用はきわめて活発、かつ複雑になっている。

4.2 通訳の欠落に共起すること

続いて、通訳が欠落した場面で何が起きていたか、相互作用上の変化を見る。

第一に参与者の包摂である。3.2で見たとおり、JS2による「6月にアイルランド代表と試合をします。Ireland and Japan will match!」（50-51行）は、それまで切り分けられてきた日本語聴衆と英語聴衆の垣根を取り払い、会場を盛り上げ、一体感を作り出した。

第二にカジュアル化が見られる。まず、話題である。それまで日本におけるラグビーの普及率や、日本チームの戦績、チーム目標等について語られていたの

が、テストマッチをめぐって生まれる JS2 と IE の「関係性」や、その勝敗をめぐる両者間の「賭け」の話題になった時、通訳も省略された。食事やキスを賭けることは、法律に触れないとはいえ、公式な対談などでは出にくい話題であろう。同時に、「じゃぁさ、賭けようよ」（81行）という BS の発話では、他の通訳場面（たとえば 63 行や 77 行）に使用されていた敬体が消えている。コミュニケーション・スタイルのカジュアル化は BS に限らない。JM による「Japan or Ireland どっちが勝つか予想してください」（72 行、下線部）という日英語が混淆した問いかけに、JS3 は「にほーーーん！」（73 行、下線部）と大きな声で応じる。単語だけを間延びして発しているところにカジュアルさが感じられる。また、この返答は日本語が選択されているが、JM の問いかけ方も「Japan」と答えても「日本」と答えても、どちらでも良いと示している。すなわち、ここでのやりとりは言語の境界も曖昧にしている。今まで一度も発言がなかった JS3 が発言したことも、場に自由さ、カジュアルさが演出されたためとも考えられよう。

　第三に、意味の伝達よりも、話者間の関係性が重視されていることが窺える。テストマッチに先駆け、JS2 が「……（IE と）バチバチ、一言もしゃべってません」（65 行）と言う。その発話内容を確認せず、IE も 2 人の関係性について言及する。後の BS による「賭け」の提案についても、内容的には不明瞭な点があるが、そこはあまり留意されることなく、賭けを受け入れることが優先されている。気軽に会話に参加することで育まれる対人関係の接近が重視され、厳密な意味内容の伝達については優先順位が低くなっている様子が見て取れる。他方で、個々の発話については、さまざまな解釈が可能となり、談話の解釈は多義的に、言い方を変えれば曖昧になる傾向が見られた。

　第四に、【抜粋2】末尾の相互作用では、日本語と英語が活発に切り替わり、コード切替（Myer-Scotton 1993）が見られる。ここは、それぞれがもてる英語能力を駆使して相互作用が進められているようにも見て取れる。Translanguaging（Garcia & Li Wei 2014）の枠組みにも照らした分析の余地がある（猿橋・坂本 2020）。

　まとめると、やや制度化されたバイリンガル場面における通訳の欠落には、参与者の包摂、カジュアル化、関係性重視、談話の多義性（曖昧化）、活発なコード切替がともなっていた。

4.3　各言語で伝達された事柄

　最後に、通訳の欠落が認められた【抜粋2】について、日本語と英語、それぞ

れの言語で何が伝えられ、何が伝えられていないのか、情報の偏りを確認する。

　この事例では、ステージ上の登壇者と観客の双方に異言語話者が想定されていることも、相互作用を複雑にしている。舞台上では、アイルランドを代表するゲストIEの存在が大きい。観客は日本語を解する人々がメインで、「外国の方」（32行）が日本語でなされた発話の英訳を必要とする存在とされている。【抜粋2】では、「モザイクを入れる」（82行）、「映ってる」（94行）とあるように、録画されているカメラの向こうも意識されている。ただしカメラの向こうに、何語話者が想定されているかを示す手がかりはない。

　まず、日本語で発話され、英訳が割愛された内容には、日本チームが強豪との試合を多く積むこと（49行）、日本チームの成長（49行、80行）、現在の両チームのランキング（79行）がある。

　加えて、スポーツと「賭け」（ギャンブル）との繊細な関係が欠落している。この話題は冗談で、だからこそカジュアルな話し方となっているのだが、日本語だけで進められるやりとりの中には、このトークショーの存立にもかかわる評価や確認が行われている。「一番やっちゃいけないこと」（82行）、「（IEに）聞かないかと思っていた」こと（89行）、「（この程度のことは）賭博禁止法に違反しない」こと（92行）、不適切であるとの指摘に「すごくショック」を受けたこと（94行）、「もう（カメラに）映って」いること（94行）などである。笑いや軽妙な受け答えで緩衝させているものの、スポーツに「賭け」を持ち込むことに対する日本社会全体の抵抗感は共有されており、ぎりぎりのところで交渉されている様子が認められる。進められ方や話し方はカジュアルなのだが、想定される聴衆がカメラの向こうにまで及んだのも、この瞬間のみであり、それは話題のきわどさを示している。そして、この一連のやりとりは日本語のみでなされているのである。

　英訳がなされない発話群が、もうひとつ認められる。トークショーの進行にかかわる評価や、切り替え、提案などである。すなわち、メタコミュニケーションに関連する部分である。たとえば、50行目から51行目にかけてJS2が発した、日英両語による試合告知について、JMとBSから「そこでアイルランドを絡めてくるの」「すばらしい！」と、内容そのものではなく、トークショーの進行への賛辞がなされる。これは日本語のみである。同様に、75行目から76行目にかけてのIEの試合に対する考え方について、BSは通訳する前に「すばらしい！」と評価している。これも日本語のみでなされている。他にも、「ちょっと聞いて

みます」（JS2、56行）や、「次行きましょう」（JS2、99行）など、トークショーの進行にかかわる直接的な表明や提案も英語に訳されることはなく進んでいく。

　英語で発話され、日本語に訳されていない部分も確認する。英語の発話量は少なく、ほとんど訳されているが、75行目から76行目にかけての、日本対アイルランド戦の予測について、IEの発言は通訳では「強い方が勝つ」とまとめられている。しかし、ここには「素晴らしい試合になるであろうこと」、強い方が勝つが、「私（IE）は私のチームを応援する」ことも述べられている。

　IEの発言だけを拾って見ていくと、アイルランドではラグビーが人気で（59行）、その勝敗は対人関係にも影響する可能性があり（67行、ただしこれは冗談である）、勝負の行方は分からないが、アイルランド人のIEはアイルランド代表を応援するとし（75行）、JS2はIEにご馳走するためにアイルランドまで来なくてはならない（96行、つまり、アイルランドの勝利を確信している、ということだが、これも半ば冗談である）ということになる。つまり、アイルランドチームを応援するアイルランド人としての立場を一貫して取っているのである。日本語では、さまざまな談話が活発に展開されていたのに対し、英語では、シンプルな一貫した談話にとどまっていることが確認される。

　日本語の領域では、ラグビー日本代表の様子だけではなく、スポーツとギャンブルの繊細な問題、トークショーの進行に直結する提案や評価などが、話者間の関係性なども考慮しながら複雑に展開されていく。日本語話者の聴衆は、ライブだからこその話題や駆け引き、JS2の機転や会場を盛り上げるサービス精神、ユーモラスな人柄などにも触れられるところとなる。一方、英語話者はアイルランドと日本の試合が間近で、アイルランド人はアイルランドチームを、日本人は日本チームをそれぞれ応援するといった、ごく一般的な話題にとどまる。フェスティバルの目的とされる、日本人とアイルランド人の交流や、日本人のアイルランド文化体験とはあまりつながりを見出し得ない。抜粋部に限っていえば、日本に暮らすアイルランド人来場者の存在は、あまり意識されていないといえよう。

5.　本章のまとめ

　本章では、アイ・ラブ・アイルランド・フェスティバルにおいて通訳が配置されていたトークショーを事例に、通訳がどうかかわっていくかを調整する場面と、相互作用の中で通訳が欠落したり、退けられたりする場面に注目し、詳細な談話

分析に取り組んだ。参加者間の動的かつ即興的な相互作用に注目するため、あらかじめ段取りなどが準備されていない事例をあえて選定した。

　分析から、通訳が省略されたり無効化される場面には、いくつかのきっかけが関係しており、場面転換の結果、生じることにも広がりが見られた。話者が最も伝えたいポイントを、自ら2つの言語で発話し、聴衆がこれに呼応した時、通訳はなされずにトークショーは進行していった。ここには、会場の盛り上がりも見られた。また、通訳を最も必要としている登壇者が、言語以外を手がかりに、何が話題となっているかを察知し、状況に沿った応答、やりとりへの参加ができると判断されたとき、通訳は遮られ無効化された。ここでは会場内の盛り上がりに加え、対話相手との関係性が、正確な情報伝達よりも優先されていた。さらに、通訳者自身が相互作用に参加したときも通訳が割愛された。この局面も対話の盛り上がりに関連していた。【抜粋2】の末尾では、日本語と英語が混ざり合って対話が進み、言語の境界が曖昧になっていた。そのような場面でも通訳が入り込む余地がないまま進行されていった。

　このように、通訳の欠落はさまざまなきっかけで起きるが、会場の一体感や盛り上がり、発話者間の相互協力や関係性重視によっても起きることが見出された。そこには、話題や話し方のカジュアル化が伴っていたことも確認した。一方で、詳細に分析をすると、談話の解釈が幾通りにも可能で、意味や意図が曖昧なまま進んでいく面も認められた。特に、通訳するほどでもない冗談として軽妙に扱われている話題が、社会文化的文脈においては、繊細な話題であったことは、留意しておくべきであろう。

　今回は日本語が主で、英語に訳される場面を見たが、2言語で進行する場面では、どのような言語であっても同様の偏りが起こりうる。ステージ上での言語の選択は、国フェスが主に誰のための空間なのか、何を誰に伝えたいのか、実際に何が誰に伝わったのか、といったことを内容的にも象徴的にもあぶり出す。祭りの場では、不測の事態が起きるからこそ面白みのある体験が可能になるし、そのような場面で異文化間を調整する能力が発揮されたり、工夫が見出されたりする。そうした流動性や即興性、相互協調などを見出しながら、時に活動を振り返り、本来の目的に適っているかどうか、よりよい方法があるかどうか、点検することも有意義だろう。ステージ上の相互作用の談話分析は、そうした課題の一助となる可能性を備えている。

代々木公園イベント広場での国フェス開催は、大きなプロジェクトである。公園管理の規約に従い、食品衛生法、消防法など、各種の法令遵守を徹底させなくてはならない。ブースエリアの施工、ステージの設営には業者が入る。実行委員会には、全体の動きも把握しながら、各領域を統括する人材が必要となる。資金の出納を管理する経理担当も重大な責務を負う。

このような事情が関係しているのだろう。中国、台湾、韓国など、移住者コミュニティの層が厚い国と地域を除いて、国フェスの実行委員会の構成員は日本人に偏りがちとなる。しかし、運営の実際を垣間見るにつけ、運営体制の国際協働は、さまざまな文化背景と言語能力をもつ参加者達が、限られた時間の中で相互理解を深める上で不可欠だと気づかされる。運営の相乗効果が、フェス当日の相乗効果につながるといっても過言ではない。

当該国出身で、実行委員会のメンバーを数年間つとめたことのある青年が、インタビューに応じてくれた。彼は公式な場での通訳経験も豊富なバイリンガルだが、実行委員会の一員に招かれたのは、彼の語学力や通訳経験というより、同国人ネットワークを広くもっていることにあると感じていると

実行委員会における
当該国出身者の活躍
異文化間コミュニケーターの視点

語った。なお、語り手の希望により、国名を伏せている。

Q：語学力を発揮する場面は？
A：色々なことを決める上で必要なのは日本語。（委員会に）入る時に確認されたわけではないけど、日本語が分からなければ話し合いについていけないし資料も読めない。話し合いはすべて日本語です。そこでは「あの議員さんの意見が大事なんだな」とか（笑）、日本のコミュニケーション・スタイルを理解していることも重要です。国からのゲストの調整で、自分の語学力が必要とされる場面もあったけれど、通訳や翻訳って、その場にいる誰かひとりができればいいことだし、宿泊や飛行機のことは英語でもできますので、運営に国の言葉はあまり必要ないですね。

Q：当該国出身者が運営体制に入っている意義は？
A：たとえば、小さなことですけど、ボランティアの力は大事で、特に、清掃ボランティアってすごく大事、お祭りでは。でも、国の子で、日本語まだあまり分からなくて、ボランティアに誘われて、お祭りだ

し、楽しそうって。「持っている人は民族衣装を着てきてください」って呼びかけていたというのもあって、綺麗な民族衣装を着てきたの。（事前の連絡が）伝わってなかったのかも。当日、「あなた清掃の担当ですよ」って言われて。食べ残しの後片付けを悲しそうな顔でやっていたんです。ボランティアを統括している人に、「伝わっていないこともあるかもしれないから、そこはちょっと見て、当日でも調整してあげてください。晴着で食べ残しの後片付けはかわいそうです」って頼みました。「あ、気づかなかった、ありがとう」って。これ、想像したら分かること。先生（筆者のこと）が和服を着て行ったら、清掃ボランティアだった、みたいなこと（笑）。忙しくて担当のことに集中すると気づけなくなっちゃう。そういう目配りは、自分の役目かなって思います。

　彼は現在、仕事の関係で米国に暮らしている。そのため、もう国フェスにはかかわっていない。このような異文化間コミュニケーターが実行委員会の構成員を務めることは、とても大事なことだと思う。

ラオスフェスティバルにボランティア参加をした日本人の学生が、「少しだけラオス語ができるようになりました」と嬉しそうに話していた。大学では英語以外の言語を学ぶ機会もあるが、在学中も卒業後も使う機会はほとんどなく、いつしかすっかり忘れてしまうという人も少なくない。国フェスの運営の多くはボランティアによって支えられている。だから、両国の若者たちが互いの言語や文化を学んだり、持てる語学力を発揮し合いながら交流を深め、国フェスを盛り上げることができれば、一挙両得であろう。

　国フェスのボランティアは、公式HPやSNSを通して事前に募集され、事前説明会などを経て、当日を迎える。国フェス公式HPには、ボランティア

ボランティアに期待される言語能力

当該国言語の使用域を広げる可能性

以外にも、ステージ出演者やブース出店者、協賛企業などの公募情報が随時掲載される。それらの募集要項や申請書類が日本語のみという国フェスは少なくない。日本語で、要項を読み、申請書を作成できることは、国フェスを担う上で前提、あるいは暗黙の了解となっていることが窺える。実地調査を行った15件の国フェスのうち、ボランティアを一般公募していたのは11件。これらのうち7件は募集要項から申込みまで日本語のみだった。

　日本語以外の言語でも申込みが可能なのは、ナマステ・インディア（英語）、One Love Jamaica Festival（英語）、日韓交流おまつり（韓国語）、アイ・ラブ・アイルランド・フェスティバル（英語）の4件である。4件中3

件が英語なのは、やはり英語の国際的な存在感に符合する。

　ボランティアに求められる語学力についてはどうか。ナマステ・インディアと日韓交流おまつりは、申込み時に語学力の申告を求めている。ナマステ・インディアは英語でも申込みが可能だが、その申込画面には日本語が話せるかを回答する欄がある。日韓交流おまつりは、日本語と韓国語、両言語の募集要項に、要件として「日本語の会話が可能な方／일본어 회화가 가능하신 분」と記載されており、「ボランティア応募フォーム」には日本語と韓国語の語学力について「上・中・下」で回答する欄がある。ここからも、日本語力は基本として重視されていることが窺える。

　ボランティア参加の呼び水として当該国言語使用に言及している国フェスが3件あった。ミャンマー祭りの募集案内には「国際交流に興味のある方、ボランティア活動に興味のある方、ミャンマー語が堪能な方、ミャンマー祭りの成功に力を貸していただける方を探しています」とある（下線は筆者）。ミャンマー語の言語力がミャンマー祭りの成功を促すという発想が読み取れる。ベトナムフェスティバルの案内にも、「ベトナム語と日本語のバイリンガルであれば望ましい」との記載がある。アイ・ラブ・アイルランド・フェスティバルはボランティア活動が「英語を使う良い機会になります」と参加を呼びかけている。

　以上をまとめると、多くの国フェス（11件中7件）は、日本語ができることを「当然のこと」としている。One Love Jamaica Festivalとアイ・ラブ・アイルランド・フェスティバルは、日本語か英語のどちらかができればボランティア参加できる。日本語が必須だが、韓国語もできればなお望ましいという立場の日韓交流おまつり。日本語か英語ができれば応募可能だが、日本語が話せるかを把握しておきたいナマステ・インディアと、国フェスによって異なる言語への態度、価値づけが見える。

　さらに、いくつかの国フェスでは、当該国の言語ができることが、「祭りの成功につながる」、「望ましい」、「良い経験になる」と認識されていることも確認した。ボランティアの仕事は多岐にわたる。当該国言語の語学力をもっている人、高めたい人を、それが活用できる持ち場に配置する。あるいは語学力が活かされるようなプログラムを考える。国フェスを国際理解、国際交流の機会とするためにも、国フェスの会場をその国らしく演出するためにも、この側面は、さらに盛り上げていく余地がありそうである。

第6章

参加型の
言語関連活動

文化資本としての
当該国言語

会場案内ボランティア（日韓交流おまつり、2015年）　提供：駐日韓国文化院

1. はじめに

　国フェスには、当該国の有形・無形のモノ、コトが持ち込まれ、その国らしさが時間的に限定された空間に演出される。開催の趣旨には、その国を日本に紹介することや、日本人との交流が含まれるが、日本に暮らす当該国の出身者が活躍する場になることに変わりはない。彼らは国フェスを支えながら、日本に暮らす同郷人と交流し、本国から招かれた出演者のステージパフォーマンスを楽しむ。

　この点を、言語という観点で考えると、国フェスは、当該国・地域の言語と、開催地の言語である日本語の、少なくとも2言語が使われる多言語空間となる。当該国・地域の言語は先住民言語等も含め、1つとは限らない。さらに、国際共通語としての英語が活用されることもある。国フェスの会場は、周辺地域と比べても圧倒的に多言語が行き交う空間となる。

　一方、特定の場面では、当該国の言語については、実用的に用いられる場合でも、象徴的に用いられる場合でも、1つの言語に集約される傾向を見た。第3章のチラシの分析では、当該国の言語が実用的に、かつ優先して用いられていたのは、ブラジルフェスティバル（ポルトガル語）のみだった。当該国言語の象徴的な使用も、ミャンマーはミャンマー（ビルマ）語、カンボジアはクメール語、ラオスはラオス語というように、その国を代表する1つの言語のみが用いられていた。このように、国フェスは、その国の文化的多様性が紹介されることで彩り豊かとなるのだが、当該国言語、こと書き言葉に関しては、その国の主要な言語1つに集約される傾向がある。

　ステージ上でも複数の言語使用を維持するのが難しくなる傾向を見た。アイ・ラブ・アイルランド・フェスティバルのトークショーの事例（第5章）からは、活発な相互作用が通訳の省略を招き、モノリンガルに移行する傾向を見た。ただし、バイリンガルでの進行が、モノリンガルに移行するのは、いつも日本語に偏っていくわけではない。たとえば、カンボジアフェスティバルの、フィナーレに向けて盛り上がるステージパフォーマンスでは、徐々に日本語への通訳がなされなくなり、クメール語だけで進行されていく様子が見られた。

　フェスにとって盛り上がりは重要事項のひとつであるため、盛り上がりと多言語併用がトレードオフの関係に置かれることは、国フェスにとって重要な課題といえる。いかに複数の言語が活発に活用されるか、特に当該国の言語を、日本人来場者にとってもアクセスしやすい形で流通させうるかは、国フェスの盛り上が

りの上でも、国際交流や国際理解といった国フェスの存在意義の上でも重要な課題となる。そこで、本章では、飲食・物販のブースが立ち並ぶ出店エリアでの、当該国の言語に関連する取り組みについて、事例を紹介しながら見ていくこととする。

2.　出店エリアの言語関連活動

　表6-1は、実地調査を行った国フェスで確認した、当該国の言語を紹介したり、言語に特化した活動を一覧にまとめたものである。掲示にしても接客にしても言語活動は伴う。ここでいう「言語関連活動」とは、言語そのものが商品やサービスのように価値づけられて紹介されている活動を指す。

　表6-1の見方を説明する。フェス名の右に本章で参照するために通し番号を付した。続く右2列には、活動内容と、それを展開している組織・団体の業種を示した。○や△印を付している2列のうち、「参加型」は来場者が参加するプログラムかどうか、「事業」は当該組織・団体がその活動を日頃から業務として展開しているかどうかの別で分類した。たとえば、No.3のラジオ局によるベトナム語放送の公開収録は、来場者が収録に参加することはできない。その様子を見て楽しむ、という関与に限定される。この活動は、当該ラジオ局が日頃行っている事業で、それを国フェスの会場に持ち込んだ活動である。そのため「参加型」の欄は空欄で、「事業」欄には○印が付してある。

　「事業」欄に付している「△」は、組織の主たる業務ではないが、そうした活動経験がある、もしくは国フェスの場に文脈化するために、内容を改変している活動に付した。No.2とNo.14の事例については、後に詳述する。ただし、明確に分類できないものもある。たとえば、No.18のベトナム語講座は実行委員会が主催のプログラムとなっているが、講師をしていたのは語学学校の先生だった。講師からしてみると、日頃行っている講義、指導を国フェスの会場で展開しているということになる。しかし、主催者は語学学校ではなく実行委員会のため、「事業」欄に○印は付さなかった。このように明確には区分が難しい事例もあることを付記しておく。

　また、ここでは当該国の言語に関連する活動に限定している。言語活動としては、たとえば在日外国人が参加する日本語スピーチコンテストなども行われている。これは、日本語の活動となるので、表には含めていない。

表6-1：出店エリアの言語関連活動事例（網掛け部分：本章で取り上げる事例）

フェスティバル名	No.	言語関連活動の内容	主催組織・団体	参加型	事業
ラオスフェスティバル	1	ラオス語会話一覧掲示	東京都内の高校		
ベトナムフェスティバル	2	ベトナム語講座	日越交流団体	○	△
	3	ベトナム語放送公開収録	ラジオ局		○
アイ・ラブ・アイルランド・フェスティバル	4	語学留学（英語）パンフレット配布	アイルランドの教育機関		○
カンボジアフェスティバル	5	クメール文字体験	NGO（衛生）	○	
台湾フェスタ	6	中国語でゲーム	東京都内の台湾人留学生	○	
	7	中国語講座	同郷人コミュニティ	○	
	8	花文字実演販売	占い店		○
	9	中国語会話教室受付	東京都内の民族学校		○
	10	語学留学（中国語）パンフレット配布	台湾の大学・教育機関		○
	11	Tシャツ・雑貨記載の台湾語解説掲示	雑貨店		
日韓交流おまつり	12	韓国語教材の割引販売	出版社		○
ミャンマー祭り	13	タナカ・ミャンマー文字・ロンジー体験	実行委員会	○	
	14	寺子屋授業体験	NGO（教育）	○	△
	15	ビルマ語体験レッスン	ビルマ語教室	○	
	16	ビルマ語教室入会特典配布	ビルマ語教室		○
	17	ビルマ語使用（挨拶）で割り引き	日本のレストラン		
ベトナムフェスタ in 神奈川	18	ベトナム語講座	実行委員会	○	
合計事例数	18			8	9

当該国の言語に関連する活動を展開するブースが認められた国フェスは、15件中8件で、計18事例となった。言語関連活動が確認されなかった国フェスの共通点を探してみると、あるテーマに特化した国フェス（たとえば、音楽：ジャマイカ、食べ物：ペルー、貿易：ブラジル）や、地域を広範に設定している国フェス（アフリカ、アラビア）などである。

　日常的に言語に関連した事業に携わる企業や組織（たとえばエスニックメディア、外国語書籍出版社、語学学校や日本国内の民族学校など）が国フェスに参加し、日頃の活動紹介をすることは自然なことに見える。他方で、日常的には別の活動をしている企業や団体が、国フェスの時だけ言語関連活動を展開する様子も確認された。**表**6-1の最下行に示した合計事例数でみると、それぞれ半々（9事例ずつ）であることが確認できる。活動内容で見ると、前者には日頃の事業を紹介する、入会特典を付与する、教材を販売するなどの活動で、体験型ではないものが多い。なお、「参加型」のプログラムを展開しているのは、18事例中8事例で、そのほとんどが日頃は言語関連活動に従事していない諸団体である。

　以下の節では、これらの言語関連活動の中から、来場者が当該国言語を体験できる「参加型」の活動事例について、詳しく見ていく。日常的には言語関連事業を展開していない組織・団体が、言語関連の活動を国フェスで展開することの意味や、言語が商品価値を帯びる諸相について、事例を比較考察しながら見ていくこととする。

3. 参加型の言語関連活動の事例

　事例として、ベトナムフェスティバルで日越交流団体が行っていたベトナム語講座（No.2）、カンボジアフェスティバルで衛生関係のNGOが行っていたクメール文字でのカード作り（No.5）、ミャンマー祭りで実行委員会が行っていた、ミャンマー文字を含む文化体験プログラム（No.13）を取り上げる。この活動は、No.14の寺子屋授業体験とも連携していたため、あわせて紹介する。いずれも来場者が参加できるプログラムで、筆者自身が参加した上で作成したフィールドノーツに基づいている。

3.1　事例1：日越交流団体によるベトナム語講座
　ベトナムフェスティバルには、ベトナムと日本の交流や親善を活動目的とする

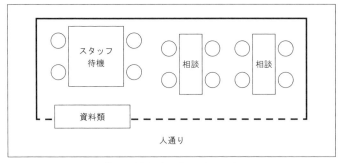

図6-1①：日越交流団体のブース内配置図
（ベトナムフェスティバル、2017年）

非営利団体が多く参加している。ここではその中のひとつが実施していたベトナム語講座（表6-1, No.2）を紹介する。このブースでは、主たる活動としては在日ベトナム人の生活相談に応じており、追加的にベトナム語講座を開催していた。以下はフィールドノーツからの抜粋である。

　出店ブース内には、資料を置くための長机、スタッフの作業スペースとなっている机と椅子のセットの他に、長机とパイプ椅子が2セット置かれている（**図6-1①**）。テント上部には在日ベトナム人の生活相談を受けるとの張り紙が掲示されており、スタッフは、男性はワイシャツにズボン、女性もブラウスにパンツというビジネス風の出で立ちである。首からネームタグをさげているため、スタッフであることはすぐに分かる。スタッフのうち2人は待機所と見られるスペースに腰掛け、うちわを仰ぎながらリラックスして、談笑している。1人のスタッフは相談ブースで2人の男性と真剣に話し込んでいる。資料類を置くテーブルの傍らには、男性スタッフが立ち、道行く人々、誰に対してともなく、まもなくベトナム語講座が始まること、15分程度であること、誰でも参加できることを知らせている。声がけの仕方は穏やかで、飲食ブースで聞かれる積極的な呼び込みとは異なる印象を受ける。
　まもなく、ブース前にマイクが用意される。赤い色のアオザイに着替えた男性と女性スタッフが準備をしている。女性スタッフは敬語で男性スタッフに話しており、上司と部下の関係であることが窺えた。会場内には、アオザイ姿の女性を多く目にするが、男性でアオザイを着用している人はあまりいな

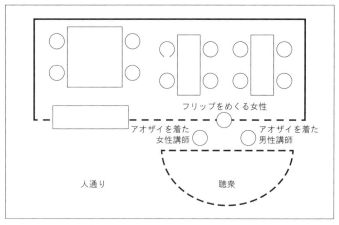

図6-1②：ベトナム語講座が行われる時の展開図
（ベトナムフェスティバル、2017年）

いため、目を引く。男性がマイクを持ち「これからベトナム語講座を始めます」と言うと、道行く人が足を止める。声を聞きつけた人々が三々五々集まる。ブース前にはあっという間に講師の2人を取り囲んで半円が形成される。司会の男性の左に、アオザイを着た女性が立ち、真ん中、やや下がった位置に普段着の女性がフリップを持って立つ（**図6-1②**）。ベトナム語の文法（語順）について、男性がフリップを指し示しながら紹介する。続いて発音（声調）についてフリップで説明し、「発音は先生、お願いします」と女性にマイクを渡す。女性は、話し方から日本語の母語話者ではなく、ベトナム人と分かる。続いて文字についての説明の後、日常会話表現がひとつずつフリップに示される。女性講師が会場に復唱を促すと、聴衆は比較的大きな声で、促された通りに女性講師の発するベトナム語表現を復唱する。そうした声を聞きつけてか、さらに聴衆の輪は大きくなっていく。文法を説明する男性、発音練習を担当する女性、真ん中でフリップを掲げる女性は、互いに手順を了解している様子で、進行はスムーズである。講座の最後は、男性講師が、「習った表現を使って、飲食エリアで注文をしてみてください」と締めくくられた。

（筆者フィールドノーツ、2017年6月11日）

物販エリアに、このような形で即席の舞台形式（第5章・第1節）が展開されるこ

表6-2：日越交流団体によるベトナム語講座の表現練習用フリップ
(テクストのみ抜粋)

① シン チャオ Xin chào! こんにちは	④ トイ ラー ケイ ニャット バン Tôi là người Nhật ban. 私は日本人です
② カーム オン Cảm ơn bạn. ありがとう	⑤ チョー トイ 食べ物 Cho tới ○○. ○○をください
③ トイ テン ラー ○○○ Tôi tên là ○○○. 私の名前は○○です	⑥ 食べ物 phở フォー

とは、しばしば目にするところである。この場合は、即席の教室が展開された
といってもよいだろう。こうした活動が始まると、人々が行き交う共用部分が専
有されることになる。それが咎められないのは「ベトナムを知る」のに寄与する
活動だからであろう。一時的な人だかりは、人々の注意を喚起し、さらに大きく
なっていく。足を止める人が増えることで拡大する人だかりの大きさが、この活
動が状況に適った、好ましい活動としての承認の証にもなる。

　講座の内容は、ベトナム語の文法（語順）、発音（声調）、文字の解説の後、表
現が紹介され、聴衆（＝即興的受講生）に反復練習への参加が促された。フリッ
プはすべて手書きで、イラストも描かれていたが、テクストのみを示したものが
表6-2である。①～⑤は表現のカタカナ表記、ベトナム語表記、日本語訳の3行
で構成されていた。表現練習は、①から⑤の順で行われ、⑥の料理名は⑤に入れ
て文章にするというパターン練習で、ブンチャーやバインミー、ビールなど、会
場内で売られている食べ物や飲み物を入れ替えて、反復練習が促された。

　フィールドノーツにもある通り、文法（語順）と文字の説明は日本人男性のス
タッフが、発音と表現の反復練習はベトナム人女性のスタッフが担当した。彼は
女性スタッフを「先生」と呼んでいた。その場限りとはいえ、日頃の上司と部下
の関係が逆転していた。この様子から、日頃は補佐的な業務に就く若手の在日外
国人が、企画を考えたり、先生の役割を担ったりする機会を経験している様子が
確認された。

3.2 事例2：NGOによるクメール文字体験

　次に、カンボジアフェスティバルからの事例（表6-1, No.5）を紹介する。カンボジアの開発途上地域で衛生面の支援を行っているNGOのブースで、来場者がクメール文字について学習した後に、自分の名前を書く練習に取り組むというプログラムだった。以下はフィールドノーツからの抜粋である。

　ブース入り口の長机には、NGOの活動を紹介する冊子が置かれ、布で作られたペンケースや小銭入れ、ポーチ、籐でできたカゴなどが売られている。手作りの品々のバザーという感じである。テーブルには、子どものイラストと、NGO活動場面の写真が貼られ、子どもを対象とした活動であることが、一目で伝わる。上部には「自分の名前をクメール語で書いてみよう！」と大きく印刷された紙が貼られている。スタッフはNGOの名前の入った、子どものイラスト入りのお揃いのTシャツを身につけているので、すぐに区別できる。上部の紙を指さすと、女性スタッフのひとりが「やってみますか？どうぞ」と手招きをしてブース内に入るよう促してくれた。ブース内で取り組まれているのは、クメール文字の手ほどきである。活動紹介やバザーの領域とは、薄い布がのれんのように掛けられ、空間が仕切られている（**図6-2**）。先生役の人（おそろいのTシャツではなく、アンコールワットがプリントされているトレーナーを着用）が、クメール語のアルファベットを、ボードを用いて説明してくれる。ボードは同じものが机に数枚置かれていて、日本語の五十音と対応させて書かれている（**図6-3**）。参加者は、白い紙に自分の名前を、ひらがなで書くように促される。それを確認した上で、先生が、対応するクメール文字が五十音表にある字については、それを指さし、書き順を示しながらゆっくりと書いてみせる。濁音や拗音など、ボードに無い文字については、白紙の紙に書いて渡してくれる。次に自分で書くように促され、書き順やバランスをアドバイスしてくれる。続けて練習するようにと言われ、先生は他の練習している人の方に行った。文字の形を修正したり、「いいですね」と褒めたりしながら見回る。声がけは、すべて日本語である。安定して書けるようになった人には、カードが2枚渡される。好きな色のマーカーで清書をするよう促される。書き終えると、1枚はNGOが活動している地域の子ども達に、衛生指導の冊子に貼り付けて届けられるのだという。サンプルが机上に置かれている。完成したカードはクリップで壁に掛けられた紐

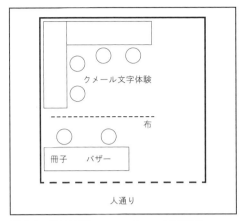

図6-2：衛生関係NGOのブース内配置図
（カンボジアフェスティバル、2017年）

図6-3：衛生関係NGOによるクメール文字体験で使用されていた文字表

につるされ、ブース内を華やかにしている。もう1枚は、記念に持ち帰るようにとのことだった。終了した人から解散で、先生はにこやかに手を振って参加者を送り出す。机の端に小さな募金箱が置かれていたが、NGO活動の紹介や募金の促しなどはなかった。

終了後に先生役の人に話を聞くと、彼はカンボジア人留学生だという。普段は工学系の大学に通っており、このNGOの活動にも、NGOが活動している地域とも接点はないので、実は詳しいことは知らないのだと言う。ただ、日本人がカンボジア人のために支援活動をしているということを知り、日本に暮らすカンボジア人として何か役に立てることはないかと申し出て、去年から、フェスティバルの時だけ、ボランティアとして先生役を引き受けているとのことだった。

（筆者フィールドノーツ、2017年5月3日）

ここでは一見、日頃のNGO活動とは関係のないクメール文字教室が実施されている。最終的には、参加者が作ったカードが現地の子ども達向けの冊子に、友好・応援の意味を込めて貼り付けられるということなので、まったく無関係というわけではないが、国フェス参加者と現地のカンボジア人の接続は間接的にデザインされている。また、先生役のカンボジア人青年は、当該NGOには所属していないという。以前のフェスティバルで、カンボジアで活動する日本のNGOに

ついて知り、何か役に立ちたいとボランティア参加をしている。在日カンボジア
人とNGOとの新しい関係が、国フェスをきっかけに作り出されている。

3.3 事例3：実行委員会によるミャンマー文化体験プログラム

　最後に、ミャンマー祭りの実行委員会によるタナカ（化粧）・ミャンマー文
字（言語）・ロンジー（民族衣装）の体験プログラムの事例を紹介する（表6-1,
No.13）。これは、NGOによるミャンマーでの寺子屋支援事業（No.14）とも
関連している。以下は、筆者がミャンマー祭りに到着した時の印象を記録した、
フィールドノーツからの抜粋である。

> 　増上寺の表玄関である三解脱門を入ると、一帯にミャンマー祭りの会場が広
> がる。一番手前にインフォメーションのブースが設置されている。インフォ
> メーションブース前にはロンジー（民族衣装）を着用したボランティアの
> ミャンマー人がパンフレットを配りながら、来場者に話しかけたり、文化体
> 験プログラムへと誘導したりしていた。声をかけられた男性に話を聞くと、
> ミャンマー人ボランティアだという。名古屋在住の留学生で、このお祭りの
> ために東京に来ているとのことだった。旅費は自分で出して来たが、友人に
> 会えるし、情報も集まるし、「東京の真ん中」で開催されるミャンマー祭り
> を手伝うことはやりがいがあるので旅費は問題ではないと言う。会場内には
> ボランティアがたくさんおり、交通整理、ブースの見回り、ゴミの処理など
> に携わっている人々は蛍光色のビブスや腕章を着用している。ロンジーを着
> 用して来場者に案内をするボランティアとは視覚的にも区別できた。
>
> （筆者フィールドノーツ、2016年11月26日）

　文化体験プログラム（下線部）とは、①タナカ体験、②ミャンマー文字体験、③
ロンジー体験、④記念撮影の4つで、その案内はパンフレットにも紙幅を割いて
紹介されていた。パンフレットと同じ文言が、項目ごとにボードに印刷され、区
画分けされた体験エリアに掲示されていた。**図6-4**の写真は、左半分が④記念撮
影エリア、右半分が②文字体験エリアとなっており、写真右上に掲示されている
のはミャンマー文字体験の説明ボードである。
　これらのプログラムは、参加者がミャンマー文化を体験することを目的に組ま
れているが、いずれも会場を「ミャンマーらしく」演出するのにも役立つ。タナ

パンフレット掲載の文化体験プログラム案内文のテクスト（下線および脚注は筆者）

ミャンマービューティ　タナカ体験　300円

タナカという木の樹皮をペーストにしたスキンケアです。その人らしい愛らしさや美しさを強調するデザインで知られています。ほほやおでこに塗って日焼け止めとしても愛用されます。人気デザインの中から1つ選んでください。スタッフが可愛くおしゃれに仕上げます。

お祭りをもっと楽しめる　ミャンマー文字体験　300円

丸いシルエットが特徴のミャンマー文字（ビルマ文字）。ミャンマー文字で自分の名前をどのように書くのか日本語で話しながら学べます。会場内ですぐに試せるミャンマー語の会話帳もプレゼント！ミャンマー市場や横町＊で会話の花も咲かせてください。

男性は凛々しく、女性は美しく　ロンジー体験　90分　500円

ミャンマーの民族衣装ロンジー＊＊を来場者用にレンタルします。男女とも様々な民族の柄を取りそろえています。手に取ってみて、ビビッと来た柄を選び、優美なミャンマースタイルで会場を練り歩いてください。これが粋なんです。

多民族の魅力を体感　民族衣装と記念撮影　1回1,000円

8つの民族（カチン、カヤー、カレン、シャン、チン、ビルマ、モン、ラカイン）の民族衣装を着て、ほほにタナカを塗った姿をプロの写真家が撮影。写真データはその場でお持ちの携帯端末にご提供します。2歳から大人までご家族、ご友人などグループでのご参加も可能です。

体験コーナーの収益はすべてミャンマーの寺子屋へ寄付されます。

＊物販エリアは「ミャンマー市場」、飲食エリアは「ミャンマー横町」と名付けられている。
＊＊筒状で腰に巻き付けて固定する。柄やデザインによって地域や民族、職業を識別する。日常着から正装用まで用途も幅広い（井上2011）。

図6-4：実行委員会による体験プログラム
（ミャンマー祭り、2016年）

カは、頬の上に施す白色のクリームで、肌に馴染ませないため、塗っていること
が一目で分かる。ミャンマー祭りの会場の外ではやや異質な身体塗布となる。そ
のため、ミャンマーらしさ、あるいは異国風情を演出する記号ともなる。

　案内文に促されているように、民族衣装を着て「会場を練り歩く」ことは、そ
のままミャンマー祭り会場のミャンマーらしさに貢献する。タナカは女性のみが
塗布するものではないが、「愛らしさや美しさを強調」、「可愛くおしゃれに仕上
げます」などの文言から、女性を想定していることが窺える。それに対し、民族
衣装体験は「男性は凛々しく」、「男女とも」と男性の参加を積極的に促している。
また、「様々な民族の柄」は、記念撮影の案内文に記載されている「8つの民族
（カチン、カヤー、カレン、シャン、チン、ビルマ、モン、ラカイン）」と同義で
ある。2021年2月現在、ロヒンギャのみならず、少数民族への深刻な弾圧が報
道されているミャンマーではあるが、限定的とはいえ民族的な多様性を盛り込ん
でいる点が注目される。

　ここでは、「ミャンマーを体験すること」として、顔へのタナカの塗布、民族
衣装の着用と並んで、ミャンマー語が組み込まれている。ただし、体験プログラ
ムの中心はミャンマー語の「文字」である。それを「日本語で話しながら」学べ
ることが価値づけられている。加えて、参加者には「会話帳」が配られ、それを
会場内で使用することが促されている。会話帳には、**表6-3**のようにミャンマー
語の表現がカタカナで掲載されていた。

　また、これらの体験プログラムは、会場内で展開されている他の2つの活動と
連携している。ひとつは、民族衣装での「プロの写真家」による記念撮影である。
会場では、毎年恒例の「日本・ミャンマー交流写真展」が開催されている。写真
展は、数ヶ月前から作品募集が行われ、ミャンマー祭り当日には入賞者の発表と
表彰式が行われる。この写真展の企画や審査には、プロの写真家がかかわってお

表6-3　ミャンマー文字体験参加者に配布されるミャンマー語会話帳 (テクストのみ抜粋)

こんにちは	ミンガラーバー
私の名前は○○です	チャノー（男性）／チャマ（女性）ナメー　○○　バー
これをください	ダー　ペーバー
美味しい	サーロ　カウンデー
ありがとうございます	チェーズー　ティンバーデー

り、彼らが体験プログラムの記念撮影もあわせて手がけていた。

　もうひとつは、これらの収益が寄付される寺子屋支援事業である（表6-1, No.14）。既述の2事例もそうであったように、通常、こうした文化体験やワークショップの参加は無料であることが多い。当該プログラムは参加費を徴収するが、それはミャンマーの寺子屋支援事業に寄付されるという。寺子屋支援は、ミャンマー祭りの実行委員会にも名を連ねるメコン総合研究所が行っており、祭りの会場では「寺子屋授業体験」プログラムが実施されていた。

　寺子屋授業体験では、ミャンマーから寺子屋の先生と子ども達（10人）が招待され、模擬授業が行われる。来場者は子ども達に混じってミャンマー語のアルファベットを学び、歌を歌うというプログラムである。子ども達はその場面で実際に文字や歌を学ぶわけではなく、すでに習得済みの内容について、教室場面を

寺子屋授業体験の看板に掲示されている説明文（下線は筆者）

寺子屋授業体験
寺子屋の授業の雰囲気を体験していただけます。
ミャンマーの寺子屋で学ぶ10人の子ども達が来日しました。慈雲閣2階で模擬授業を行います。日本の皆さんも寺子屋の雰囲気を味わってください。　　参加自由

図6-5：寺子屋授業体験の案内掲示
（ミャンマー祭り、2016年）

再現する。むしろ、子ども達は、来場者が戸惑わないように、身振り手振りを交えたり、手本になるよう行動したりして、円滑な参加を促す。ただし、この体験プログラムは、参加者にミャンマー語を覚えてもらうという趣旨ではなく、入り口の掲示（図6-5）にも記載されているとおり「寺子屋の雰囲気を味わう」ための活動と位置づけられている。

　このプログラムに特徴的な点は、ミャンマー文字とミャンマー語が、民族衣装の着用や、タナカの顔への塗布と合わせて、短時間で体験可能な文化として紹介され、またそれに参加する人々の存在によって会場内をよりミャンマーらしくすることにある。また、タナカを塗布し、民族衣装を着用しての記念撮影は、会場内の別プログラムである写真展とも連動している。体験プログラムの参加費は、ミャンマーの寺子屋に寄付されるというが、その寺子屋授業体験プログラムも会場内で実施されており、会場内の連携が複数デザインされている。

　ただし、ミャンマー文字体験では「日本語で話しながら学べます」と記されており（図6-4）、日本語での媒介が価値づけられている点も留意しておきたい。会話帳が配布されているものの、それらの表現を使うことについて、飲食・物販エリアのブースとの連携は見られず、少なくとも筆者のフィールドワーク中に、会話帳を使って会話や注文をしている人の姿は確認することができなかった。むしろ、道行く人々への声がけは日本語が中心で、ミャンマー文字体験がそうであるように「日本語で商品説明を受けられること」が価値づけられている場面の方が一般的である。ミャンマー語に不慣れな来場者が、疎外感を感じることなくミャンマー語を体験したり、習いたてのミャンマー語を使ってみる機会を作るには、さらなる工夫の余地がある。

4.　文化資本としての当該国言語の可能性

　本章では、ベトナムフェスティバル、カンボジアフェスティバル、ミャンマー祭りから、参加型の当該国言語関連活動を見た。いずれの事例も、普段は言語に関連する事業を展開しているわけではない組織・団体による。これらの事例から、国フェスという場において、当該国の言語や文字が文化資本として活用される可能性が確認された。こうした活動自体が、国フェスの会場に「その国らしさ」を演出することにも寄与する。ここでは、3つの事例を通して見えてくる、国フェスにおける参加型の言語関連活動の特徴と課題、可能性を論じる。

　第一に、言語関連活動は、一見、祭りとは調和しそうにない活動内容（たとえば未就学問題や公衆衛生問題など）の紹介を緩衝させたり、中継する役割を担いうることが確認される。フェスティバルの場は、華やかで楽しいことが持ち込まれやすい。チャリティイベントのように社会問題を解決するための催しもあるが、国名を冠する国フェスでは、その国の社会問題や政治問題はとりわけ取り上げにくい。実際に、国フェスの会場では、優雅な観光リゾート地の紹介を受けた後、無医村の窮状について説明を受けるということもあり、そのギャップに困惑する。来場者が抱く、こうした違和感は、ブースを出す側も感知しているところで、社会問題に取り組んでいるNGOの出店者から「場違いな気もするけれど、私たちの活動を知ってもらう機会は必要なので」という声も聞かれた。その国を知るということ、すなわち真の国際理解は、華やかな文化に触れることや楽しい交流からだけでは生まれないだろう。

　カンボジアフェスティバルの事例は、こうしたジレンマにプログラム内容によってひとつの緩衝点あるいは中継点を作っている面がある。このNGOのブースに立ちよる人は、文字を学ぶだけの参加も可能である。それをきっかけに衛生問題を知ったり、その支援活動にかかわっていくこともできる。文字を学ぶプログラムは、それだけで完結しているわけではなく、NGO活動のパンフレットに添えられて支援地に届けられる。こうした、複数の回路、迂回路が用意されている。言語関連活動が、ハレの会場と、社会問題に取り組む活動とのバイパスの役割を担いうることが、この事例から確認される。

　第二に、言語関連活動により、新しい人的ネットワークができたり、日頃の上下関係を転換させたりする一面があることが例証された。ベトナム語講座の事例では、日本人の上司（先輩）、ベトナム人の部下（後輩）という関係が、一時的とはいえ逆転していた。クメール文字体験の事例でも、日本に留学中のカンボジア人が、対カンボジアの国際支援団体にボランティア参加するという新しい関係構築の経緯が見られた。言語関連の活動を展開することが、日本に暮らす当該国出身者が活躍する場面を新たに作り出すことにつながっている。そして、それが従来の関係性を転換させたり、新しい関係性の形成に寄与している。

　第三に、語学講座やレッスンを展開するブースでは、国フェス内ですぐに使える単語や文章の紹介、解説、練習などが盛り込まれる傾向が認められた。これには、15分から30分程度で完結させなくてはならないといった時間的制約も関係しているだろう。通常、語学学習の場面で、入門といえば発音や挨拶、自己紹介

などから入る。国フェスという場で語学体験レッスンを展開する場合、教室と祭りという異なる社会領域が混じり合ったところでの実践となる。そこでの内容が、国フェスの場ですぐに使える表現として、料理名や物品の語彙、買い物時のやりとりとなることは、当然の成り行きにも見える。教育機関の国フェスでの実践例は、全体から見ると規模は小さいとはいえ、文化イメージを産出するMediascapeと、教育を支えるIdeoscapeが、交渉したり、接合したりする場 (Appadurai 1990) となっている様相も確認された。あるいは、教育の娯楽化 (Urry 1990) にもつながっていく可能性がある。ベトナム語講座の事例のような、その場設えの舞台形式は、より娯楽としての要素が高まる。クメール文字体験のようにブース内に教室をしつらえるといった設定では、より教育的な要素が高まるだろう。場の設定と（教育）内容の関連にも注目していく余地がある。

　第四に文字の価値である。国フェスでは、コミュニケーションや表現に触れるということに加え、文字を知るという活動が見られる。これは、チラシの分析でも見たとおり、その国の文字がシンボルとして用いられることにも関連していよう。文字の価値は、たとえばTシャツやタオルのプリントなど、モノの国際移動とも密接である。観光地では、土産物のパッケージ上の文字が、異国情緒を喚起させるものとして、商品価値を帯びることが指摘されている (Pietikainen & Kelly-Holmes 2011; Kauppinen 2014)。国フェスで展開される言語関連活動に、文字に関するものが比較的多く見られるのは、この傾向とも連動していると考えられよう。

　第五に、国フェス内の他の活動や諸団体、および当該国での活動との連携である。国フェスの会場内は、参加団体ごとに区分けがなされているものの、活発に相互参照されることで、イベントとしてのまとまりが生まれる。ステージ上ではしばしば飲食・物販エリアへの関連づけがなされる（第5章、第7章を参照）。ベトナム語講座、ミャンマー文字体験の事例では、会場内の他の活動への結びつけが促されていた。クメール文字体験の事例では、カンボジアでのNGO事業への関連づけがなされている。このように、これらの事例からは、その場限りではなく会場内の諸活動や、本国での諸活動への結びつけがなされていた。

　ミャンマー文化体験の連携的展開は、活動の主体が実行委員会だからこそ可能になった側面も大きい。こうした連携が、国フェス会場全体で交錯的に行われれば、個々の活動がより意味のある体験となる可能性が広がる。言語関連活動の場合、限られた時空間の中で、来場者がその国の言語に触れる、表現を覚える、使ってみるといった、参加型・体験型の活動につなげうることを確認した。

Lave and Wenger（1991）が提案する、実践共同体における周辺参加型の学習の機会につなげていく可能性もある。そのためには、緩やかであっても国フェス全体の言語政策のような発想をもって、連携をデザインしていく余地がある。

　第六に、その国の主要な言語への収斂傾向は、本章の事例からも確認された。国家と言語が対になって提示され、その言語はその国を象徴する役割を担う。この点は、その他の言語についての取り組みや関心が皆無であるということを意味してはいない。国フェスの会場を丹念に見ていくと、少数民族文化グループの参加、手話学校の出店なども確認された。しかし、彼らは料理を提供するなど、彼らの言語を資源として活用してはいなかった。こうした調査活動を通して、言語関連活動のさまざまな取り組みを紹介することは、よりマイナーな言語に関連する活動を行う組織や団体にとって、他所ではあまり経験する機会の少ない言語や文字を文化資本として活用する可能性を考えるのに役立てられるかもしれない。

　いまのところ、いずれの国フェスでも、会場全体を視野に入れている言語政策は不在である。しかし、個々の参加者の工夫に基づいた多彩な言語関連活動が見出された。その一方で、国家を象徴するものとして1つの言語に収斂される傾向や、活動がその場限りになってしまっている様相も認められる。Fettes（1997）は理想や合理性に基づいて計画された言語政策が、実践を通して見出される不具合を振り返り、見直していく循環を作り出すことで言語政策としての存在意義を高めると指摘する。どのような言語空間を作り出したいのか、あるいはイメージする国フェスを演出する上で、いかに言語を活用するのか、しないのかを検討する余地が、それぞれの国フェスにある。

　祭りの場は日常の規範からの逸脱や、試行的な実践も許される場であり、それが国フェスの面白さでもあり、活気の源でもある。個々の言語関連活動を支援したり、つなぐような仕掛けをデザインしたりすることは、国フェスの言語政策を検討することにもなるだろう。そこには、その国の主流派言語1つに収斂する流れを、自覚的に見直す観点も含まれる。当該国の国語や公用語はもとより、少数言語や近隣諸国の言語、手話も、国フェスを彩り豊かな場にする文化資本としての可能性を秘めている。そのため、国フェスで展開される言語関連活動の調査には、たとえその規模が小さくても、言語間の力関係を是正するような取り組みを見出し、光をあてていくという意義がある（Hult 2010, 2015）。

5. 本章のまとめ

　本章で取り上げた3つの事例の他にも、学校や語学学校ではない組織や団体が、国フェスに限って語学講座を実施するという事例は、いくつか見られた。レッスン形式は取らなくても、会話のやりとり例を配布したり、掲示したりして、買い物の際などに使ってみることを促すといった活動もある。これらの例は、国フェスにおいて、当該国の言語が文化資本として活用されていることを示している。

　国フェスには国際協力や支援活動に携わるNGO等の出店も少なくないが、彼らが紹介するのは、その国が抱える貧困や社会問題、すなわち負の部分とならざるを得ない。彼らの日ごとの活動拠点は当該国にあるので、国フェスの会場に持ち込むのは写真や報告書という形になる。啓発活動とともに、手芸品や工芸品をバザー販売するなどして、活動資金を得るという取り組みもある。他方で、美味しいものを食べ、ほろ酔いで陽気に騒ぐ集団がいたり、民族衣装を身にまとった人々が華麗に踊るといったハレの場面とのギャップがあることも確かである（猿橋・岡部2017）。チャリティイベントと考えれば、親和性がないというわけではないが、祭りが盛り上がるにつれ、その国の負の実態や問題が取り上げられている空間に、戸惑いのような感覚を覚える人は少なくないだろう。

　本章のクメール文字体験の事例では、国フェスという場において、その国が抱えている問題を直接的に伝えるだけではなく、まずその国に関連するモノ・コトに触れてもらい、そのきっかけを通して、NGOが展開する活動に興味をもってもらう、というように来場者に迂回路を開いている様子を紹介した。こうした迂回路の設定が、祭りという華やかな場で、社会問題や支援活動を伝えやすくもする。そして、こうした迂回路あるいは緩衝点や中継点の設定において、文字や言語関連活動が採用されていることと、日本に暮らす当該国出身者が活躍している様子は注目に値する。文化資本としての当該国言語の存在と、在日外国人の活躍場面としての可能性が確認できる。加えて、こうした言語関連活動は、国フェスの会場をその国らしくすることにも貢献する。活動が参加型であれば、その効果はさらに大きくなると予想される。

　国フェスにおける言語関連活動は、今のところ経験的・直観的に採用されている段階であり、催事全体での調整や連携は見られない。今後、国フェスの場において、より計画的・積極的に活用する「国フェスの言語政策」のような観点も視野に入れながら、事例研究を蓄積していく余地がある。

ベトフェス宣伝部のブース内の装飾（ベトナムフェスティバル、2020年）

ある老舗
エスニックレストラン
店主にとっての
国フェス

距離感と解放感

筆者は、国フェスでフィールドワークを行う際、開場時刻の1時間前を目安に巡回を始める。その時間帯、ほとんどのレストランブースは、お客さんを迎える最後の仕上げをしている。ブース周りの飾り付け、遠目からの確認、調理開始。スタッフで記念撮影をしている光景も見られる。知り合いの店主に朝の挨拶をすると「昨夜は（料理の）仕込みで一睡もしていません」という声を聞くのは珍しいことではない。

レストランにとって、国フェスへの出店は、店を知ってもらえるという利点がある。しかしキッチン等の設備が十分でない野外での料理提供は大わらわである。国フェス用のメニュープラン、価格、提供のしかたを計画する。路面店を出しているエスニックレストランの場合、店を臨時休業とするか、一部の従業員だけで出店するかの判断は悩ましい。ほとんどの国フェスで、出店者は出店料を支払うので、それを差し引いての売り上げを確保しなくてはならない。野外の催事は天候にも左右される。国フェスへの出店は、なかなか「過酷」なのである。

「過酷さ」を承知で国フェスへの出店を決断するのは「東京の真ん中で自分の国のフェスティバルが開催されるのだから協力したい」、「他のレストランの様子を知ることができる」、「古い友人、知人にまとめて会える」、「レストラン以外の情報も集まる」、「自分の国が、日本の人にどう見えているのか知ることができる」、「実行委員会の人から直接連絡をもらって、良かったら出てくださいと言ってもらったので、出ないわけにはいかない」など、さまざまである。そして何らかの経緯があって参加しないことを決めている同業者のことを控えめに言及しながら「いろいろあるけど、お祭りだから」と締めくくる。

　こうして、日頃から集住コミュニティに根づいて営業を行っているエスニックレストランの参加は、彼らが日本で営業するなかで培ってきた味、信頼、ネットワークも持ち込むことになる。それは在日外国人の間で、確実に「あの店（あの人）が出店しているのだから安心」と、催事への信頼感にもつながっていく。

　東京で「老舗」と目される店を経営し、同郷のエスニックレストラン店主から「先輩」と慕われている女性がいる。ある時、彼女が以下のように話してくれた。

　名古屋にもね、東京ほどは大きくないんですけど、同じようなお祭りがあるんです。毎年、そこに遊びに行くのが楽しみ。だって、そこの人たちは私の職業も、家族がどうで、いつ日本に来たかとか、何も知らないでしょう。だから気楽に音楽を聴いたり、踊りを見たり、名古屋のレストランの様子を覗いたり。好きに過ごせるんです。東京では他のレストランを覗いたら、きっと嫌だと思うんですよ。同業者ってそういうもの。

　在日外国人コミュニティ内の連帯や結束はなくてはならないが、窮屈に感じてしまう時だってある。遠慮もある。絶妙な距離感が求められる。そこから解放される時間も空間も必要だ。離れた都市の国フェスが、彼女にとってインスピレーションをもらえるエネルギーチャージの場所になっている。

　やはり国フェスは「フェス」である。

第7章

音楽ライブでの
多言語使用

多言語シンガーと観客の
相互作用

在日ベトナム仏教信者会によるバインミーの販売（ベトナムフェスティバル、2020年）

1.　はじめに

　国フェスにおいて、メインステージが催事の中心的な存在であることは、第5章でも触れた。ステージ上では、趣向を凝らしたさまざまな演目が繰り広げられるが、やはり音楽はその中核でもあり会場全体を包む存在でもある。音楽フェスとフードフェスのハイブリッドが国フェスといっても過言ではないかもしれない。音楽は聴覚を、民族衣装を身にまとって音楽に合わせて踊る舞踊は聴覚と視覚を、飲食エリアから立ちのぼるスパイスの香りは嗅覚を、実際に食せば味覚を刺激する。物販エリアで展示される織物の風合い、工芸品の手触りからは触覚が刺激される。五感にはたらきかけるモノやコトの連続が国フェス特有の没入感ともいえよう。

　国フェスの野外ステージが、劇場等の舞台芸術とも、野外音楽フェスとも異なるのは、催事が掲げる国に関連する演目であるということ以外は、プログラム間の脈絡はさほど演出されていない点であろう。開会式や閉会式などの式典は、人の集まる時間帯を勘案して配置されるし、著名な演者が出演する場合は、その配置も考慮される（一般的にはフィナーレを飾る）が、それ以外についてはストーリー性や相互の関連性よりも、多彩さが重視される。ジャンルや趣の異なる演目が、互い違いに配置されることもある。そうすることで、観客席は頻繁に人が入れ替わり、会場内の動き全体は活性化される。

　このように、ステージ上では、会場の中心としての機能と、次々と入れ替わるプログラムという、一見相矛盾するコトが同時進行で進んでいる。それらを緩やかにつないでいくのが総合司会者の役割でもある。ただし、一旦、プログラムが始まると、多くの場合、進行は演者に任せられる。それぞれ独自の活動を、どう国フェスという場所や状況に関連づけていくかは、演者の事前の準備と当日の即興的な対応に委ねられる。

　多くの場合、国フェスではリハーサルが行えない。行えたとしても順序や音響、合図などを確認する、いわゆる「場当たり」程度である。加えて、あらかじめ予測することが難しい客層に対し、演者は自己呈示をしながら、全体を盛り上げることも求められている。特に、言語の選択や切り替えは、客席の反応を見た上での調整が必要となる。演者が多言語話者であればなおさら、取りうる選択肢に開かれている分、調整も即興的となる。

　2日間開催の場合、2日目に出演予定の演者達が、1日目の様子を見に来てい

るのを見かけることがある。彼／彼女らは、客層を見ながら翌日の演出について最終調整をするのである。もちろん、2日目が初日と同じ客層となるとは限らない。このような不測性は、演者にとって「面白さ」や「腕試し」でもある反面、「過酷」、「怖い」と表現されたりもする。

　本章では、第1回台湾フェスタ（2016年）の初日に、多言語シンガーとしてステージに立ち、観客を、共に台湾の原住民族の民謡を歌うまでに誘っていった歌手の事例から、そのコミュニケーションプロセスを詳細に見ていくこととする。

2.　　事例概要

　第1回台湾フェスタ（2016年）では、2日間で35のステージ演目が用意されていた（**表7-1**）。総合司会者が、全体の進行を担当していた。総合司会者は、中国語を母語とする日本語とのバイリンガルで、演目の紹介は、あらかじめ準備されている原稿を、日本語・中国語の順で読み上げていた。ただし、2つの言語の発話順序は、開会式のみ中国語・日本語となっていた。時間調整や実行委員会の連絡など、その場で必要に応じて行われる発言は、日本語が主で、中国語でのアナウンスは割愛されることが多かった。

　表7-1の見方を説明する。台湾フェスタでは、両日出演する演者もいた。同一の演者は記号と番号を振って区別している。たとえば、初日2番手のトークショー（A1）と、2日目2番手のトークショー（A2）は同一人物によるパフォーマンスということを示す。キャラクターショーは2日間で3回開催されたが、それぞれ別のキャラクターが出演していたため、記号や番号は付していない。獅子舞の披露は4回行われたが、同一の団体による演技であった。音楽（台）と表示している17、33、34、35は、台湾フェスタが台湾から招待した台湾音楽のアーティストで、公式プログラムにも特別に枠を設けて紹介されていた。

　35プログラムのうち、音楽が最も多く21演目、他は伝統芸能の南方獅子舞が4回、トークショーが4回、キャラクターショーが3回、舞踊が2回、式典が1回（開会式）であった。舞踊に特化したパフォーマンスを「舞踊」としたが、音楽にはダンスが含まれることも多いため、両者の区分は曖昧な面もある。

　演者の紹介は総合司会者が行うが、演目が始まると、進行は終演まで演者に任せられていた。日本語（あるいは中国語）しか話せない場合には選択の余地がないわけだが、演目の前後の挨拶だけは中国語（あるいは日本語）とするなどの工

表7-1：台湾フェスタ（2016年）のメインステージプログラム
（網掛け部分：本章で取り上げる事例）

1 日目	2 日目
1. 音楽	18. 芸能（獅子舞 3）
2. トークショー A1	19. トークショー A2
3. 音楽 A1	20. 音楽 E2
4. 音楽 B1	21. 音楽 A2
5. 芸能（獅子舞 1）	22. 音楽 B2
6. 音楽	23. 音楽
7. キャラクターショー	24. 音楽
8. 音楽 C1	25. 音楽 C2
9. 音楽 D1	26. 音楽 D2
10. 音楽 E1	27. キャラクターショー
11. 音楽	28. キャラクターショー
12. 音楽 F1	29. 音楽 F2
13. 開会式	30. 芸能（獅子舞 4）
14. 芸能（獅子舞 2）	31. トークショー B2
15. トークショー B1	32. 舞踊 A2
16. 舞踊 A1	33. 音楽（台）
17. 音楽（台）	34. 音楽（台）
	35. 音楽（台）

夫をする演者は多い。台湾から招かれた演者も、挨拶や単語レベルで日本語を挟むよう心がけている様子が認められた。

　会場の反応を見ながら、徐々に進行の言語を英語に移行していった演者もいた。途中から英語に切り替えた歌手の公式Facebookを見てみると、ほぼ中国語で、台湾フェスタに出演する旨も中国語で告知されていたが、演技終了後の報告の投稿は英語に切り替わっていた。その投稿には、当日参加した人から英語でコメントも寄せられており、英語という媒介言語がステージ上で模索され、選択され、その切り替えによって観客とのオンラインのつながりが生まれたことが確認できる。

　挨拶やトークなど、終始発言しない演者もいた。その演者は、入退場は下を向く、楽曲間は後ろを向き、不動のポーズを取るなど、沈黙を「演出」していることが窺えた。このような「発話しない」という選択肢も含め、いずれのステージ

パフォーマンスも言語面の調整がさまざまに行われており興味深い。

　その中から、本章では紹介文に「多言語シンガー」と明記されていたEri Liao（敬称略）のステージトークを事例として取り上げる。Eri Liaoは、台湾出身で東京を拠点に活動する歌手で、日本人ギタリストのファルコンと共に出演した（図7-1）。

　以下は、台湾フェスタ公式HPに掲載されたプロフィール文からの抜粋である。

> Eri Liao（エリ・リャオ）
>
> 台湾・台北生まれ。NY留学中にジャズを学び、台湾、日本、アメリカ、ブラジルなど、古今東西の音楽を多言語で歌う。ジャズをバックグラウンドに、かつ台湾原住民族・タイヤル族という自身のルーツを活かし、台湾原住民の音楽からテレサ・テン、ジャズ・スタンダード、ビバップまで、独自にアプローチする演奏がライブで好評。現在東京をベースに活動、2016年アルバムリリース予定。　　　　　　（台湾フェスタ実行委員会2016、下線は筆者）

　Eri Liaoは、台湾原住民のタイヤル族のルーツをもち、東京の大学とニューヨークの大学院で学んだ経歴をもつ。ステージでは以下の通り台湾原住民の楽曲が2曲、中国語で2曲の計4曲が披露された。

1. 那魯灣：アミ族音楽
2. 路邊的野花不要採：鄧麗君（テレサ・テン）
3. 棕髪珍妮（金髪のジェニー）：スティーブン・フォスター
4. 石頭歌：アミ族音楽

　ステージの配置は図7-2の通りで、ステージ中央にEri Liaoと、ギタリストのファルコンが並び、トークは概ね観客に向けてなされたが、時折ギタリストに呼びかけたり、アイコンタクトや手振りで合図を送ったりすることもあった。演奏は両名とも終始着席で行われた。

3.　楽曲間トークの談話分析

談話の分析は、Scollon and Scollon（2003）の地理記号論における、社会的

図7-1：「Eri Liao ＋ファルコン」
ステージパフォーマンス
（台湾フェスタ、2016年）
提供：Eri Liao

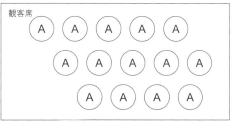

図7-2：ステージの配置図（台湾フェスタ、2016年）

行動のつながり（nexus）を説明する3つの概念を援用して取り組む。Scollon and Scollon（2004）は、社会的出来事や行動の談話の解釈をめぐって、それ（談話）を生み出す3つの概念への注目を促す。場のディスコース、相互作用秩序、歴史的身体である。

　場のディスコースとは、ここでは台湾フェスタという観念的な場であったり、より具体的には東京・代々木公園内の野外ステージという場の設定によって生み出され、理解されるディスコースである。Scollon and Scollon（2004）は、社会的出来事の談話も、場のディスコースも「discourse」を用いているが、ここでは両者を区別するために、前者を「談話」、後者はカナカナで「ディスコース」と表記することにする。相互作用秩序とは、コミュニケーションに参加する人々がどのような関係性を作り上げようとしているかに関連する。この場面では、マイクを持つEri Liaoと、聴衆、ギタリストの3者が介在している。そして、それにはコミュニケーション参加者がこれまで経験してきた個々の経験（歴史的身体）が関係している。Scollon and Scollon（2004）は、これら3つが結びついたところに具体的な社会的出来事が現れると見る。

　この枠組みを拠り所としながら、まずは出来事の継起順序に沿って見ていき、続いて言語の選択と管理に焦点を絞った分析へと進めていくこととする。なお、本論の分析は、素案の段階でご本人に確認を依頼し、フォローアップの聞き取りを経て若干の修正を加えた。

3.1 催事・会場との関連づけ

【抜粋1】は1曲目「那魯灣」を歌い終えた後のトークである。(((　))身体動作や話し方の特徴、観客の反応などの非言語情報、(　)内容の補足、<u>下線</u> 分析上の注目箇所。)

【抜粋1】

((拍手))ありがとうございました。台湾の原住民族のアミ族の曲をお聴きいただきました。今日は台湾フェスタということで、もう美味しそうなお店がいっぱい並んでて、私もすっかり台湾の気分になってきているんですが。ええと、今日は台湾の曲をたくさん歌ってみたいと思います。二曲目は、ええとですね、<u>ご存知の方が多いと思います</u>。台湾のシンガーといえば((ゆっくり、はっきりした言い方で))デン・リーチュン(鄧麗君)、テレサ・テンの曲を歌ってみたいと思います。今日は中国語の曲で、<u>おそらくご存知の方が多いんじゃないかな</u>と思います。((ゆっくり、大きく))路邊的野花不要採。お聞きください。

【抜粋1】の冒頭では、曲名紹介の間に、催事と会場内の他のエリアが結びつけられる。場のディスコースが前景化される。ステージは観客席よりも一段高い位置で、他のエリアも見渡すことができる。演者の視点からはフードエリアに立ち並ぶ看板や調理過程で立ちのぼる湯気なども視界に入る。台湾フェスタという場は、そこにいる誰にとっても自明であるが、あえてその場が台湾フェスタであることに言及する。演者も「台湾の気分になってきている」と自身の状態の変化を言葉にする。空間は一時的に台湾(風)にすることが可能で、そこにいるだけで人々の状態も変化し(「台湾の気分になる」)、演者自身もそこに文脈づけている(「台湾の曲をたくさん歌う」)。場のディスコースに、台湾出身および台湾の音楽を紹介してきた歴史的身体を関連づけている。

　ステージ上の演者は聴衆の属性等について、前もって知ることはできない。Eri Liaoは、東京を拠点にライブ活動を行っているが、通常のライブとフェス会場の客層は異なると予測される。台湾フェスタは今回が初回のため、過去の経験は誰も持ち合わせていない。それでも台湾の歌手および曲目について、二度「ご存知の方が多いだろう」(下線部)と推測を表明する。聴衆がどのような文化的背景や嗜好をもつ人かは分からないが、台湾通であるだろうと、場のディスコースと来場者の歴史的身体も関連づけている。

　台湾の代表的な歌手、テレサ・テンの名は日本でも多くの人が知っているだろう。彼女の名前をまず台湾での呼び方で紹介している。中国名と日本での呼称を両方使い、デン・リーチュンが生前、中国語で歌い人気を博していた曲を選択している。歌手名「デン・リーチュン」と楽曲名「路邊的野花不要採」は、他のトークより大きく明瞭に発話され、日本語に差し挟まれた中国語を際立たせている。この言語選択と言葉の響きも台湾らしさの演出（場のディスコース）に貢献している。

3.2　自身の足跡との関連づけ

　続いて、2曲目を終え、3曲目の曲紹介につなげるトークを見る。

【抜粋2】
　では、どんどんどんどん歌っていきたいんですが、次の曲は、一曲目（（人差し指を立てて））は台湾の原住民族の曲、二曲目（（指を二本立てて））は台湾を代表するシンガー、テレサ・テンの曲、ときて、えーと次は実はこれはとても古い18、19世紀、1800年代後半の<u>アメリカ</u>の曲です。ええと皆さんもご存知の作曲家だと思いますが、スティーブン・フォスターという作曲家がいて「おおスザンヌ」とか「ケンタッキーの我が家」とかを書いた人ですが、その人が書いた曲で、日本語の題名では「金髪のジェニー」という題名で知られている曲があります。その曲を今日は、ええとですね、向こうでも、あるのかなぁ。<u>日本</u>でもフォスターの曲は音楽の教科書（（指先で四角を描きながら））とかにも日本語の歌詞付きであって、みんな歌ったことがある方も多いと思うんですが、そのフォスターの曲を中国語の歌詞で歌ってみたいと思います。ええと、原題はですね、「Jeannie with the Light Brown Hair」なので。ええと、茶髪のジェニーなんですが（（会場から笑い））、日本語の題名は「金髪のジェニー」で中国語で歌う題名は（（ゆっくり大きく））「ゾォンファー　ジェニー」っていって、ゾォンファーは棕櫚、棕櫚の木の、棕櫚色の髪のジェニーという曲です。では、お聞きください。

　【抜粋1】では、台湾フェスタと台湾に文脈化していたが、【抜粋2】では、アメリカ、日本と他の国の言及がなされる（下線部）。「アメリカの曲」と述べる前に、これまでの演目の流れをおさらいし、続いて「古い」曲であることを前置いてい

る。アメリカ人の作曲家の紹介をした後、「その曲を今日は……」と現在に引き戻す。「今日は……」は「中国語の歌詞で歌ってみたいと思います」につながるが、その間にスモールトークを挟んでいる。

そのスモールトークは、次に歌う曲が「(学校の) 音楽の教科書」に「日本語の歌詞付き」で掲載されていたので、多くの人にとって馴染み深いものだろうと、来場者の過去と今をつないでいる。同時に、来場者にとって馴染み深いであろう日本語の曲名について、原題である英語と、台湾フェスタにふさわしい中国語版とを並べ、三言語・三様の表現を紹介している。

【抜粋2】に見られる聴衆の位置づけには、【抜粋1】と相違が認められる。【抜粋1】では「台湾通」だったが、【抜粋2】では「日本の学校に通った経験をもつ人」となっている。「向こうでも、あるのかなぁ」の「向こう」は台湾を指しているのだろう。「台湾通」であることが期待される場のディスコースで、台湾について未知の部分については明示が避けられ、曖昧な表現となっている。台湾フェスタの場は一時的、疑似的に台湾を持ち込む場であり、【抜粋1】ではそれを前景化させていた。しかし、フェス会場は紛れもなく東京の代々木公園である。一時的な場のディスコースが、恒常的な場のディスコースによって後景化されたと読むこともできよう。

さらに、ここでは、演者の歴史的身体という観点から見てみたい。既述のプロフィールで予告されていた翌年 (2017年)、Eri Liaoをボーカルとするバンド、Eri Liao Trioはファーストアルバム「紅い木のうた」をリリースする。その1曲目には「金髪のジェニー」が収録されている。アルバムの曲紹介には、今回の台湾フェスタにも一緒に出演しているギタリスト、ファルコンによる以下の文章が添えられている。

1. 金髪のジェニー
2015年8月、一番最初にトリオでやったライブからずっと演奏している曲。
エスニックというか島っぽい？
不思議な響きのフォスターの曲で、
オリエンタルチューニング（CGCGBE）で弾いている。
アレンジはライブごとに変わって行き、
歌詞は英語から中国語へ、
Eriちゃんのシェイカーも入り、

コントラバスの弓、E bowやファズ、フリーズなどのエフェクトも入り、
バンドの特徴を凝縮したような表現になったと思う。
（ファルコン）

　ここではアメリカの曲というよりも、バンドにとって特別な曲であることが綴
られている。ライブごとにアレンジが変わり、メンバー3人それぞれの専門性と
持ち味が生かされ、「バンドの特徴を凝縮したような表現になった」という。歌
詞が英語から中国語へ変わったことは、さまざまに試みられたアレンジのひとつ
で、Eri Liaoの持ち味を生かすものである。
　これを踏まえて改めて【抜粋2】を見てみると、バンドにとって最も思い入れ
の深い曲を、台湾フェスタの舞台に文脈化している談話と読むことができる。言
い換えるとバンドの歴史的身体を、舞台に関連づける談話といえる。そうして見
ると、【抜粋2】には幾重もの歴史的身体との関連づけが読み取れる。
　まず冒頭で、「1曲目……2曲目……ときて……」と、この日のこれまでの演目
を振り返っている。続いて、次に披露する楽曲「金髪のジェニー」の作曲家の歴
史が語られる。アメリカの楽曲であるが、日本の学校でも紹介されており、観客
も「歌ったことがある」かもしれないと来場者の過去（学齢期）に誘っている。
日本人の父と台湾人の母のもと、台湾で生まれ育ったEri Liaoは小学生の時に日
本に移り住み、日本の学校に通った。音楽の授業での記憶は演者自身の学齢期の
記憶でもある。このように【抜粋2】の談話は、当日の舞台、19世紀後半に活躍
した作曲家、小学生だった頃の自分、と三重に歴史が振り返られる談話となって
いる。そして、当日の舞台と、小学生だった頃には、観客も組み込まれている。
バンドの歴史と共にある楽曲を台湾フェスタの舞台に文脈化する際に、歴史に関
連する談話が幾重にも展開されたことは、談話への歴史的身体の動員と読める。
　【抜粋2】の後半は、タイトルを巡って英語、日本語、中国語での表現の違い
を紹介している。原題をそのまま訳せば「茶髪のジェニー」になるところが、日
本語では「金髪のジェニー」と訳されるという。ここで聴衆からは笑いが起こる。
この相互作用が成り立つためには、日本語の「茶髪（ちゃぱつ）」と「金髪」が
もつニュアンスの違いを両者が了解しているという前提が必要になる。聴衆から
湧き上がる笑いに接して、演者は聴衆が台湾よりも日本の言語文化に精通してい
る人々であることを確認することになる。中国語の「棕櫚（ゾンファー）」は聴
衆にとっては新しい知識であろうという前提に立ち、ゆっくりはっきり発音する

という発話が生み出されるのである。ステージ上の演者は一方的に話しているようにも見えるが、聴衆との相互作用も同時に行われていることが、ここからも確認できる。

3.3　聴衆との相互作用

　【抜粋3】は最後の楽曲間トークで、演者は聴衆に共に歌うよう促す場面でもある。つまり、聴衆を聞く人から歌う人に役割を転換させようと試みている。相互作用秩序の書き換えであり、そのため発話量は【抜粋1】、【抜粋2】と比べて多くなっている。身振り手振りによる非言語の合図も格段に多くなっている。

【抜粋3】

((ギタリストに向って))じゃぁ、実演してみましょうか？　いける？　じゃぁ((観客に向き直って))今日、あの、こう見えて((左手でギタリストを示しながら))、一応（ギタリストに台湾原住民族の）衣装着せてきたんですけど、日本人です((笑いながら))。あの日本人の方もどうぞご心配することなく、あの一緒に混ざって歌ってください。では、えっとですね。アミ族の曲は、コールアンドレスポンスの形で、こうリーダーが、((右手を高く上に上げる))今日は私がリーダーの役をやりますので、リーダーが歌いかけて、((右手を前方、観客の方に伸ばす))それで皆さんが応えてくれるという、そんな形式で歌う曲が多いです。この曲もそうなんで、じゃぁちょっと((右手を上に高く上げる))リーダーと((右手で大きく輪を描く))みなさん役を今日((右手でギタリストを指し示す))ファルコンがやってくれますので、どんな感じになるのか、ちょっと見ていてください。

（実演）

((ギタリストに左手の平を向けながら))こんな感じです。いけそうですかね。((会場を見回しながら))ええと、ちょっと分解してみると、「ホーハイアン・イア・ホーハイアン」と言っています。長そうですが、ええと分解すると、「((左手を斜め左に上げる))ホーハイアン((右手を上に上げ、大きな声で))イア((右手を斜め右に上げる))ホーハイアン」なので((両手を左右に上げる))「ホーハイアン」を2回言って((右手で手刀を切るように))「イ

ア」ではさんでください。大丈夫ですね。((指を折りながら))「ホー・ハイ・アン・イア・ホー・ハイ・アン」7文字ぐらい、覚えてください。
　ではこんな感じで。((ギタリストを見ながら))もうできちゃうかしら？((客席に向き直って))練習したいですか？練習しちゃう？((ギタリストを見ながら))本番行きますかね。じゃぁ皆さんぶっつけ本番で。皆さんに歌ってもらわないと私だんだん声を小さくしていくので、どうぞ大きい声で歌ってください。ええと題名をじゃぁ紹介しますね。この曲は、ええと、あっ、<u>ちなみに何歌わされているか分からないという方がいるとかわいそうなので、</u>一応説明しますと、意味は、ありません。えっと、なんだろう？ちょっと日本語の民謡とかで「ハーヨイヨイ」とかあんな感じで。特に意味がない言葉をこう掛け声みたいに言っていくので、<u>心配せずに、変なことを言わされていると思わず</u>、どうぞ大きな声で。今日、気持ちよく歌って、最後の曲を皆さんと一緒にできたらいいなって思います。中国語での題名は、シュータオク（石頭歌）。それではいきましょう。

　ここで、Eri Liaoは、最後の曲を観客と共に歌うために多角的な働きかけを行っている。まず、冒頭で、ギタリストは台湾の民族衣装を着ているが日本人であると国籍を明かし、それを観客の日本人が参加する上での安心材料として示している。続いて、アミ族の歌の歌唱形態について、音楽フェスやライブでは一般的な「コールアンドレスポンス」という用語で説明し、役割を示した上で、ギタリストを観客に見立てたデモンストレーションにつなげている。
　実演の後は、歌うフレーズを分解し、短時間で記憶にとどめてもらうための工夫をする。続いて、大きな声で歌うことを促すために、会場の声が小さい場合には「私（も）だんだん声を小さく」すると、その場の合図を取り決める。さらに、歌うフレーズの意味を「ありません」と説明する。「意味がない」と知らされることが、再び、参加する上での安心材料として示される。【抜粋1】と【抜粋2】では、中国語での曲名はひときわ大きく、強調されて発話されていたが、【抜粋3】では、歌うフレーズである「ホーハイアン・イア・ホーハイアン」は繰り返し大きく、強く、はっきりと発音されたものの、曲名「シュータオク（石頭歌）」は強調した発声ではなかった。
　【抜粋1】から【抜粋3】まで、公演と楽曲間のトークを通じて、大きな目的である「台湾を演出」していることに変わりはない。しかし、これまでの演者と観

客の関係において、台湾らしさを見聞きする観客の姿勢は受け身である。ここで、演者からの呼びかけによるものの、歌って参加することは、台湾の原住民文化を体験することにつながる。同時に、飲食・物販エリアにまで歌声が届けば、会場全体の「台湾らしさ」にも寄与する。受け身の立場であった観衆は、台湾原住民の言語のフレーズを歌うことによって「台湾らしさ」を演出する役割も担うことになる。短い公演の間に、台湾原住民の楽曲を共に歌うところにまで誘うEri Liaoの楽曲間トークには、複合的な談話が盛り込まれていることが確認された。

3.4　楽曲間トークの談話

　Eri Liaoのステージにおける楽曲間トークについて、Scollon and Scollon（2003, 2004）で提示された、地理記号論と、社会行動のつながりを説明する3領域の観点からまとめる。Scollon and Scollon（2004）は、社会的出来事の談話には、場のディスコース、歴史的身体、相互作用秩序の3つが介在するとした。【抜粋1】から【抜粋3】の楽曲間トークは、いずれもこれらの3つを含んでいる。

　目の前に聴衆が、傍らに共演者がいる以上、相互作用秩序なくしてトークは成り立たない。ステージ上で、マイクを通して話す権限をもっているのは演者なので、発話は一方的になされているかに見える。しかし、演者は常に観客席の様子をモニターし、観客が発話をせずに応答可能な疑問文を投げかけ、会場からのリアクションを拾い上げながら進行していく。それは、演者が台湾フェスタ以外の色々な演奏機会で培ってきた経験（歴史的身体）があってこそのスキルに基づいていると考えられよう。

　すべての場面に、談話を生み出す3つの概念が含まれているものの、場面ごとに前景化される概念が異なることを、この事例は端的に示している。1曲目と2曲目の間の【抜粋1】では、場のディスコースが、2曲目と3曲目の間の【抜粋2】では、歴史的身体が、最後の曲を紹介する前の【抜粋3】では相互作用秩序がそれぞれ前景化されている。【抜粋1】では、台湾フェスタという場への関連づけが、【抜粋2】では当日の演奏、作曲家の歴史、小学校の音楽の授業、バンド結成以来の足跡など、短いトークの中に幾重にも重なる歴史への関連づけを見た。【抜粋3】では、観客を歌唱に参加させることを試みる相互作用秩序を書き換えるためのはたらきかけが幾重にも行われていた。

　ここには、国フェスのメインステージに出演する演者の状況がそうさせる必然性のようなものも垣間見える。演者は、国フェスのステージに初めて立つ。特に、

2016年の第1回台湾フェスタは、初回ということもあり、誰にとっても初めての場となった。そこでは、まず場のディスコースへの関連づけが求められるだろう。その場所が台湾フェスタであることは、演者と観客、双方にとって自明なことではあるが、あえてそれを言明し、自らをその場に文脈化する。続いて、会場との一体感を強めるために歴史的身体のディスコースに重点を置く。1曲目から3曲目まで短いが時間を共有してきた歴史、100年以上人々に歌われ続けている楽曲を作曲した音楽家の歴史、小学校の音楽室で合唱した共通の記憶などを動員する。そうした共有によって一体感が育まれるから、共に歌うための相互作用秩序の書き換えが可能になると考えられるのである。

　こうした複合的な談話が、最後には皆で台湾原住民言語の楽曲を歌って終えるというライブパフォーマンスを実現させているといえる。こうした一連の談話は、台湾から日本、日本からアメリカと言語圏の越境を幾度か経験する中で培った異文化・異言語コミュニケーションスキルから、即興的に生み出される調整が寄与していると考えられよう。もちろん、これらを演者のEri Liaoが常時、計画的、戦略的に行っているというわけではない。本論の草稿段階で本人に尋ねてみたところ、いずれも経験的なもので、あまり戦略的に考えたことはないという。分析を読むと、納得させられ、なかでも歴史的身体については、そのような解釈が発話から読み取られることに自己効力感（エンパワメント）を覚えると話してくれた。

4.　多言語シンガーの談話戦略と台湾原住民言語の位置づけ

　台湾フェスタにおけるEri Liaoのステージ上の談話について、言語選択の観点から考察する。歌は台湾原住民の言語と中国語で歌われた。楽曲間のトークは全体を通して日本語を基調としており、ステージ上では、3つの言語が用いられたことになる。台湾原住民の楽曲については、観客も共に歌うことが促され、参加と体験を実現させていた。そのことの意味を考えてみたい。

　聴衆は、【抜粋1】では台湾通として、【抜粋2】では日本に生活基盤を置く人々と認識されている。【抜粋2】では日本語の「茶髪」と「金髪」のニュアンスの違いが、【抜粋3】では日本の民謡に代表的な掛け合いのフレーズ「ハーヨイヨイ」が前提知識として示される。ここから日本の言語文化に馴染んでいる聴衆が想定されていることが確認できる。他方、【抜粋3】では共演者のギタリストが（民族

衣装を「着せて」いるが）日本人であると明かし、「日本人の方も……一緒に混ざって歌ってください」と促している。ここから、日本人は聴衆の全体ではなく、一部であるとの認識が窺える。聴衆には、Eri Liao自身がそうであるように、台湾をルーツにもちながら日本で暮らす人々も想定されていると考えられる。

　台湾通であったり、台湾のルーツをもつ聴衆は、台湾を代表する歌手である故テレサ・テンの中国語の楽曲に通じており、英語から多言語に歌詞が翻訳されているフォスターのことも知っているであろうと想定されている。ただし、台湾原住民の音楽やフレーズについては予備知識をもっていないだろうとの想定に立っている。

　台湾原住民の言語文化を尊重する台湾での動きは、1990年代以降の教育改革において台湾ナショナリズムを高揚させることと結びついて進められてきた経緯がある（菅野 2012）。菅野（2012）は、「郷土言語教育」によって推進される「本土化」と、外国語（英語）教育によって推進される「国際化」が、台湾の現代教育の「基軸」となってきたと指摘する (p.241)。他方で、拡張傾向にある英語教育は「郷土言語教育」にとって脅威とみなされる局面もあるという。台湾独自のアイデンティティを滋養・表現することを担ってきた原住民言語文化政策であるが、国際化の影響には及ばないのである。

　この言語間の地位関係は、原住民言語の楽曲をめぐる談話にも投影されていると見ることができよう。すなわち、台湾を代表するテレサ・テン、アメリカを代表する作曲家スティーブン・フォスターの曲を中国語で歌うことは聴衆にも馴染み深いことと想定され、台湾原住民の曲やフレーズについては多くの説明を要すると想定されているのである。総じて、聴衆にとって馴染みのある言語は「日本語＞中国語＞英語＞原住民言語」と想定されているといえよう。

　他方、Eri Liaoのステージパフォーマンスは、限られた時間の中でより多くの時間を原住民の音楽の披露と説明にあてることにより、現状の言語地位の不均衡を是正する試みと読み解くこともできる。多角的に説明し、聴衆と共に「気持ちよく」歌い、舞台を締めくくるということは、参加者に台湾原住民の言語文化を経験した機会として、より強く印象づけられることであろう。歌声は会場全体に届き、台湾フェスタをより台湾らしくすることにも貢献する。

　さらに、ステージトークにおける原住民言語の扱われ方には、未知の言語に誘う談話も読み取ることができる。【抜粋3】で演者は、日本人ギタリストに台湾原住民の衣装を「着せてきた」と表現する。ステージトーク全体を通して丁寧な話

し方をする演者が、ここでは直接的な使役表現を用いている。そこには、バンドメンバー間の信頼関係がある。同時に、台湾の原住民文化を演出するには、そのルーツをもつ者に采配の権限があるとの想定も窺える。

　演者達は台湾原住民の民族衣装を着ているが、ギタリストは日本人なので「日本人の方も……心配することなく……歌ってください」と言う。そこには、民族衣装を着ることが民族集団のウチとソトの境界線を示す可能性が含意されている。民族衣装を着ていない人は、着ている人を目にすることで、自分は「部外者」であると感じ取る可能性がある。一緒に歌うべきではないと判断するかもしれない。すなわち、演者は服装という非言語の記号によって、聴衆が察するかもしれない疎外感に気づき「心配せず、歌ってください」と促す。これは、演者自身が言語圏を越境した経験（歴史的身体）があるからこその言及といえよう。

　【抜粋3】の後半にも同様の配慮が認められる。これから歌うアミ族の楽曲の曲名を紹介しようとして、フレーズの意味を伝えていないことに気づき、曲名紹介を後回しにする。そこで「何を歌わされているか分からない」という状況は「かわいそう」なことと言及している。そして、「特に意味がない」フレーズについて、丁寧に「意味は、ありません」と説明している。これも、言語圏を越境し意味の分からない言葉に囲まれる不安感を経験してきたからこその言語的配慮といえる。

5.　本章のまとめ

　本章で取り上げたのは、第1回台湾フェスタからの事例である。初開催とはいえ、何も参照することなく談話構築がなされるわけではない。毎週末のように大型公園で行われる各種のイベント、在日台湾人コミュニティが経験してきた催事等が台湾フェスタの相互作用秩序形成に寄与する。代々木公園の野外ステージは長年、パフォーミングアーツがもつ談話を繰り返し産出してきた。ステージに立つ演者は、それがふさわしいとみなされる経験（歴史的身体）も持ち合わせている。演者は国フェスのゲストでもあるが、同時にパフォーマンス中は多くの権限が与えられている。マイクを用いて全体に呼びかけることはそのひとつである。高い位置から、台湾料理ブースが並ぶエリアを見渡すことができるからこそ、それを談話資源として活用しながら自らの持ち場であるステージを台湾らしく、自分らしく演出していくことができる。

他方、聴衆が有する個々の空間は狭い。代々木公園の観客席は、ベンチ型で着脱可能だが、台湾フェスタでは設置されていた。国フェスで、観客席に座る人々は舞台を見ることを目的に座っているとは限らない。休憩をする人、待ち合わせをする人、食事をする人、次の演目までの席取りをする人も含んでいる。それでも全員が舞台を向いて座り、演奏の終了時には拍手をし、会話は声を落としてするなど、観客席に座るほとんどの人が観客としてふさわしい振る舞いをする。ライブ会場やコンサート会場ほどではないが、演者と聴衆の間の相互作用は相互協力的に生み出される。

　このように、場のディスコースは、演者の権限と、聴衆の制約された振る舞いを安定させることに役立っているようにも見えるが、相互作用秩序や歴史的身体が独自性を加える。ステージにおいて演者は、あらかじめ計画した通りに進めることも可能だが、聴衆の様子や反応を見ながら調整することも可能である。特に言語的・文化的背景や知識の異なる人々が一堂に集まることが予測される国フェスの会場では、取り得る選択肢が多い。多言語シンガー Eri Liao の事例には、台湾の歴史・政治・文化に加え、言語圏を越境した経験による談話、すなわち多言語公共空間を安心な心地良いものとするための談話戦略が見られた。

　国フェスが、掲げる国や地域の言語に触れる機会となることは第一義的に望ましい。しかし、これまでの事例では、その国の国語や公用語ですら限定した使用にとどまることを報告してきた。マイノリティの言語に関してはなおさらである。本章で紹介した事例は、日本語を媒介としながらも、中国語と台湾原住民言語の双方に触れる機会を創出し、原住民言語については共に歌う参加・体験の場を作り出している点で注目される。加えて、さまざまな言語的・文化的背景をもつ人々が一堂に介する国フェスの場で、異なる文化背景をもつ人が疎外感を覚えないようにするコミュニケーション上の配慮についても示唆を与える。

　国フェスのメインステージにおける言語使用・言語選択には、事前に準備、計画されているものと、必要に応じた対処の両方が確認される。さまざまな言語的・文化的背景をもつ人々が一堂に介した際に生じる言語問題、それへの気づき、対応が適宜行われる場でもある。言語問題は予見されることもあれば、起きていても見落とされることもある。気づかれても対策が講じられない場合もあれば、対策が講じられたとしてもそれが言語問題の解決に直結しないこともあろう。個々の言語問題への対処は、実行委員会や個々のブース出店者、ステージ出演者の経験として蓄積されている。実践は確実に蓄積されているが、それを記述した

り、事前に計画したりするまでには至っていない。こうした事例を収集し、記述・分析していくことは、多様性が価値づけられ、異文化間の相互理解を促進させる画期的な国フェスを実現させるのに有効であるだけでなく、多様な言語的・文化的背景をもつ人々が行き交う多言語公共空間における言語政策や言語管理を考える上でのヒントを提供することにもつながるだろう。

コロナ禍に思う、
越境する音楽の力

韓国打楽器奏者、
李昌燮さんの祈り

李昌燮さんは在日韓国人三世の韓国打楽器奏者である。

昌燮さんが専門とするサムルノリは、1970年代後半、韓国各地に古来伝わる祭りや巫俗のリズムを収集して編成された打楽器主体の音楽ジャンルである。昌燮さんは1990年代、自身が20代の頃、この音楽に出会った。韓国に渡り、創始者のひとりである李光壽氏の活動拠点を訪ね、そのまま何年も住み込む。稽古というよりは、師匠と寝食を共にしながら、ひたすら芸を盗む。徒弟生活で起こる出来事の顛末だけを聞いていると、いわゆる「先生像」からはおよそかけ離れた、破天荒な印象の李光壽氏だが、昌燮さんにとっては、韓国伝統音楽の巨匠、絶対的な導師である。

東京に拠点を移してからは、独立独歩でプロの韓国打楽器奏者および指導者としての道を歩む。演奏する機会はコンサートホールやイベント会場、お祭りに限らず、学校、博物館、結婚式会場、演劇、映画と多岐にわたる。乞われれば、どこへでも行く。イベント主催者や演出家の構想や理想に近付けるように、伴奏の場合はメイン奏者や踊り手が心に描く画を完成させるように、打楽器で自分に期待されているピース分を打つ。

日韓交流おまつりでも、オープニングをサムルノリの演舞で華やかに盛り上げる年もあれば、広場で人々が踊る周縁でひたすらリズムを刻み続ける年もある。声がかからない年もある。こうした自らの存在を「業者」と表現する。これは控えめな表現で、リズムなのだから、全体の土台としての役割を担っている。もっとも、どんな業者も土台を支えていることを考えれば、この表現は的を射ている。

だから、「韓国を代表して」とか、「韓国文化を伝えている」というよりは（「そう見えたなら、そう言ってもらっても一向に構わない」と言われそうだが）、「李光壽先生を通して身につけた韓国伝統音楽のリズムを、相手と場面の要請に応じて打っている」のである。とにもかくにもそこが原点で、そこから派生して、日韓交流や国際交流に与する観点や経験則を、自ら駆使したり受講生に伝えたりしている。

　たとえば、韓国語を話せず、どこの誰かも分からない自分を、そのまま受け入れてくれた師匠の度量を思うにつけ、韓国はじめ諸外国から東京に来た人を、そのまま歓迎しようと思っている。韓国伝統音楽の基本的な考え方である、「起（起きる）・承（遊ぶ）・結（結ぶ）・解（ほどく）」は、何気ない一日、季節が巡る一年、人の一生にも通じていて、忙しく、時に孤独な都市生活者の、ちょっとした心の寄る辺になるかもしれない。

　現在、コロナ禍で演奏する機会は極端に減っている。昌爕さんが主宰する音楽レッスンの受講生のうち、在日韓国人は高齢者がほとんどで、若い世代は日本人が多い。「彼／彼女らにとってチャング（打楽器）を打つ意味は何だろう」とか、「日韓交流のために何ができるか」とか、「そもそも何のために日韓交流が必要なのか」。そんなことを改めて考えさせられているという。

　「みなさんがチャングを打つこと。それ自体がもう日韓交流なんです。」

　受講生ひとりひとりにどう響いたかは分からない。近い将来、受講生達と一緒に日韓交流の野外ステージでサムルノリを演奏したい。フィナーレはお客さんも一緒にみんなで踊る。そんな日常が戻りますように、と昌爕さんが祈らない日はない。

第8章

感染症対策を
講じた
国フェスから
見えること

「新しい日常」における
国際交流イベントの
課題と展望

ミャンマー少数民族の手工芸・雑貨店（ミャンマー祭り、2016年）

1.　　はじめに

　2020年、新型コロナウイルス感染症は全世界を震撼させた。逼迫する医療。大きな打撃を受ける観光業。伸長する家庭用ゲーム業界。政策に翻弄される飲食業。国際競争が加熱するIT業界。明暗はさまざまであるが、すべての業種に、働き方や、場合によっては業態の変更が余儀なくされている。2020年3月以来の国境を越えた人々の行き来の制限は、本稿を執筆している2021年2月現在、再開の目処は立っていない。この未曾有の事態が、それぞれの業界、社会全体、国際関係にいかなるインパクトを与えるかは、時間を経過しての検証を要する。本章では、その記録的意味も込め、2020年の国フェスの状況を報告する。

2.　　コロナ禍のイベント開催方針と代々木公園の国フェス

　感染症の拡大に伴い、2020年3月から5月にかけて代々木公園で予定されていた各種イベントは、そのすべてが中止、もしくは延期となった。開催の告知をしており、中止・延期を余儀なくされた国フェスは、アイ・ラブ・アイルランド・フェスティバル、ラテンアメリカフェスティバル（いずれも3月14日・15日）、カンボジアフェスティバル（5月3日・4日）、タイフェスティバル（5月9日・10日）、ベトナムフェスティバル（5月18日・19日）、ラオスフェスティバル、One Love Jamaica Festival（いずれも5月30日・31日）の7つであった。なお、6月から8月末までは、東京オリンピック・パラリンピック開催のため、一般の催事会場利用は停止期間となっていた。そのため、企画そのものがなかった。

　2020年4月7日に発令された第1回の緊急事態宣言の解除（5月25日）後も、野外・屋内を問わず、イベントは9月末まで、定員5,000人、あるいは屋内の場合は収用定員の50％の厳しい方を上限とする開催制限が継続された。なお、第1回の宣言解除に向けて行われた新型コロナウイルス感染症対策本部の審議では、プロスポーツや大型コンサートが議論の中心となり、野外フェスティバルについては十分な審議がなされたとは言いがたい。ちなみに、2016年のベトナムフェスティバルの来場者数は20万人と報告されている（ベトナムフェスティバル2016実行委員会2016）。

　9月11日、政府は当初の期日を前倒しして、9月19日から11月末までの期間、イベント類の開催制限を緩和すると発表した。「入退場や区域内の適切な行動確

保が困難」で、「参加者が自由に移動でき」、「名簿等で参加者を把握することが困難」といった特徴をもつ野外の催事については、以下のとおりとなった。

収容率
入場者に大声での歓声・声援等がないことを前提としうる場合、感染防止策の徹底等を前提に人と人が接触しない範囲で収容率を100％以内とすることを認める。それ以外の場合、当分の間、収容率を50％以内、又は十分な人と人との間隔を要する。これらは、「新しい生活様式」に基づく行動、基本的な感染防止策が徹底・継続され、イベント主催者や出演者は「業種別ガイドライン」等に基づく行動を行うことが前提。

開催要件
十分な人と人との間隔（1m）を要することとする。当該間隔の維持が困難な場合は、開催について慎重に判断。

（内閣官房新型コロナウイルス感染症対策推進室長 2020）

　こうした政府の方針に対し、代々木公園でイベント開催を予定していた団体の判断はさまざまであった。9月21日、22日に予定していた第2回チャイナフェスティバルは、9月17日付で開催の中止を発表した。同じく、11月28日、29日に予定していた第28回ナマステ・インディアも開催中止を決定した。
　図8-1は、筆者が9月19日（土）の15時頃に撮影した代々木公園イベント広場の様子である。人の往来はまばらで、散歩やジョギングをする人、自転車で横切る人、ベンチに腰掛けて読書をする人などが確認された。この期間、野外での運動はむしろ奨励されており、隣接する森林公園区域ではコロナ禍前とさほど変わらぬ利用者の姿が見られた。森林公園内では、ジョギングやウォーキング、筋力トレーニングやヨガなどの運動、草花や鳥類の写真撮影、ドッグランの利用、サイクリング、日光浴などをする人々で毎週末、利用者が多く見られた。
　国フェスではないが、2020年2月以降、代々木公園で初めて開催された催しは、同年10月31日、11月1日に開催された自然と音楽をコンセプトとした「earth garden “秋” / re:LIVE 東京 fes」である。ライブ配信も同時に行ったというearth gardenの公式HPには、1日目は8,000人、2日目は7,000人の来場があり、配信ライブ視聴は2日間合計で約2,000回と報告されている。また、11月14

図8-1：イベント開催制限期間中の代々木公園イベント広場（2020年9月19日［土］）

日、15日には「東京雪祭SNOWBANK PAY IT FORWARD2020」が開催された。特設の雪のスロープを、スノーボーダー達が颯爽とすべる会場で、音楽ライブ、献血と骨髄バンクドナー登録の呼びかけ、日本赤十字社による受付が行われた。

3.　「新しい日常」のベトナムフェスティバル 2020

　2020年に代々木公園で開催された国フェスは、筆者が確認した限りで、ベトナムフェスティバル（11月6日・7日）とフィエスタ・デ・エスパーニャ（11月21日・22日・23日）の2件であった。ベトナムフェスティバルは、5月の延期を受け、9月26日にオンラインフェスティバルが開催された。内容は、トークショーと音楽で、演奏は毎年ベトナムフェスティバルを盛り上げている日本のロックバンドが行った。過去のフェスティバルのアーカイブ映像も流され、正味30分程度のYouTube配信であった。オンラインフェスティバルは副題に「2021年に会いましょう！」と掲げていたが、実施から10日後の10月6日、1ヶ月後の11月6日・7日に「リアルな」ベトナムフェスティバルを開催するとの告知がなされた。

　告知から開催まで1ヶ月という準備期間の短さは、国フェスのみならず野外イベントでは異例の短さといえよう。開催の決断に至るまでの経緯や、短い準備期間への対応、ベトナムとの行き来が制限されている状況下でのプログラム編成上の工夫なども興味深い。しかし、本章では感染予防の新しい行動様式を実現する

上で、オンライン上のコミュニケーションとリアルな場での実践・展開の接合に注目し、実地調査の報告と考察を行う。

　なお、報告の意図は「新しい日常」の国フェスのありようを建設的に考えていく上で考慮すべきと思われることを相互作用や接触場面の観点から示すことにある。特定のイベントの運営や一部の来場者を評するためのものではないことを付記しておく。

3.1　会場での新型コロナウイルス感染症対策

　ベトナムフェスティバルは毎年、実施報告書を作成、公表している。2020年11月6日、7日に開催されたベトナムフェスティバルの報告書は、11月19日付で公表された。例年に比べ、実施から報告書公表までの期間も短かった。「新型コロナウイルス対策」としては、対応場面の写真付きで以下の通り報告されている。なお、以下で参照するために、通し番号（①〜⑤）を付した。

　新型コロナウイルス対策
　新型コロナウイルス対策として以下の通りお客様・関係者の安全・安心を心がけた対応を指針に実行。
　すべての来場者のみなさんに検査ゲートを通って頂き、検温、マスク着用のお願いをしました。
　①会場入退場ゲート
　　ボランティアによる検温、マスク着用声掛け、手の消毒を徹底。
　②ステージ裏ゲート
　　ボランティアによる立ち会い、エアー型バルーンゲート消毒ドームによりVIP、出演者の往来に対応。特にサーモ式検温器、次亜塩素消毒液を協賛頂いたことで感染症対応を強化。
　③店舗
　　各店舗に次亜塩素消毒液を配布。ただし、実際には各店舗でも予防措置として持参している店舗が多かった。
　　店舗のスタッフへのマスク着用の声掛けパトロールによる安全対策の励行。
　④フリースペース
　　定期的に消毒を実施。

⑤ゴミステーション

　ボランティアのマスク着用、手袋着用の指導。

（ベトナムフェスティバル2020実行委員会2020, p.3、通し番号は筆者）

　上記から、当日の対応は、5つの場所において実施したこと、コロナ対策に必要な物品の支援を受けたこと（②「……協賛頂いたことで……強化」）、当日気づいたこと（③「実際には……店舗が多かった」）も含めて報告されている。①と②はボランティアが感染症対策を実施し、⑤ではボランティアは指導を受ける側となっている。③、④は実施主体が明記されていないが、①、②と類似の活動のため、おそらくボランティアが対応したことと推察される。項目ごとのばらつきはあるものの、ボランティアが感染症対策の多くを担っていた様子が分かる。

3.2　感染症対策の事前周知：Facebookを事例に

　報告書には、主に当日の感染症対策が記録されているが、国フェスは実際に催しが行われる2日間だけ、突如として現れるわけではない。公式HPやSNS、事前に配布・掲示されるチラシやポスター、各種メディアの報道によってたくさんの情報が伝達される。特に公式HPやSNS上では、情報伝達に加え、オンラインイベントが展開可能で、オンライン上も文字通りフェスの「会場＝サイト」として機能している。オンラインとリアルなフェスの連動は、以前から認められるが、コロナ禍でオンラインの重要性と存在感はさらに高まった。ここでは、イベント開催の告知からフェス当日までオンライン上でどのようなコロナ対策の周知が行われていたかを確認し、それが実際のフェス会場でどのようであったかを見ていくこととする。

　国フェスのなかでも、特にベトナムフェスティバルは、「ベトフェス宣伝部」が編成され、広報に力を入れている。オンラインコミュニケーションは、かねてより公式HPに加え、Facebook、Twitter、Instagramを運用している。2020年の実施報告書にはFacebookのフォロワー数は9,798人、Twitterは3,096人、Instagramは647人と記載されている。ここでは最もフォロワー数が多いFacebookを中心に見ていく。

　Facebookでベトナムフェスティバルの開催が告知されたのは10月6日で、開催日の1ヶ月前だった。その時点では感染症対策については、「WITHコロナの取り組みの元で開催いたします」と記されただけで、具体的な内容までは触れら

れていない。以降、フェスティバル終了まで、公式Facebookには合計で99回の投稿がなされた。

　99回の投稿の内訳は、フェスティバル前日までの投稿が39回で、開催後の投稿の方が多く、60回となっている。フェスティバル前の投稿をメインとなるメッセージで整理したところ、他のメディアに取り上げられたこと（10回）、「マスクdeベトフェス」と題するコロナ対策のキャンペーンを含めたプログラムの紹介（9回）、パンフレットの掲載と拡散依頼（5回、以下に事例紹介する）、動画情報とそのリンク（4回）、ボランティア募集（3回）、前日と前々日の準備状況（8回）であった。その中で、感染症対策に言及していたのは11回で、パンフレット掲載と拡散依頼時には必ず感染症対策の呼びかけが付随していた。また、前日は、5回の投稿のうち3回に感染症対策の呼びかけを含んでいた。

　感染症対策の呼びかけには、「フェスを楽しむ」という文言も必ず添えられていた。楽しみながら感染症対策をするという発想から、参加型キャンペーンとして「マスクdeベトフェス」が企画された。これは、「ベトナム風」にアレンジしたマスクをInstagramに投稿すると、ベトナムの国旗風にデザインされたマスクがもらえるというキャンペーンである。参加者はハッシュタグに「マスクdeベトフェス」をつけて投稿することが促されていたが、実際の投稿数は45件にとどまっていた。そのうちの大半が関係者によるもので、一般からの参加はごく限られている様子だった。以下は、開催1週間前の投稿である。

　　来週末に開催が迫ってきております、ベトナムフェスティバル2020〜ベトナム・アジアの心〜の宣伝パンフです！
　　ぜひこちらを拡散お願いします！
　　今年は、WITHコロナでの開催となり、マスク着用・体温測定を行ってからのご来場を必須としてお願いするとともに、COCOAのご利用や、会場でも距離の確保やステージでのマスク着用をお願いしております。
　　WITHコロナの状況下ですが、感染拡大防止とともにフェスを楽しみましょう！
　　また、ベトフェス宣伝部インスタグラム企画としてマスクdeベトフェスも行っております！こちら、ベトフェス宣伝部のインスタグラムをぜひご覧ください！　　　（ベトナムフェスティバル公式Facebook　2020年11月1日、下線は筆者）

裏表紙下段のテクスト（通し番号⑥〜⑮は筆者）

> 新型コロナウイルス感染拡大防止のため以下の取り組みへのご理解、ご協力
> をお願い致します。
> 　⑥ マスク着用はルールです
> 　⑦ アルコールによる手指の消毒をお願いします
> 　⑧ 咳エチケットのご協力をお願いします
> 　⑨ 人との距離を十分確保してください
> 　⑩ 体調に異変があった場合は無理せずご帰宅ください
> 　⑪ 会場2か所のゲートから入退場をお願いします
> 　⑫ 37.5℃以上または平均より1℃以上高い方のご来場はご遠慮ください
> 　⑬ COCOA─新型コロナウイルス接触確認アプリのご利用をお願いします
> 　⑭ マスクを外しての声援はご遠慮ください
> 　⑮ ハイタッチ、ハグ、握手はご遠慮ください

図8-2：ベトナムフェスティバル（2020年）のパンフレット（表紙と裏表紙）

　上記の「宣伝パンフ」（下線部）とは、公式パンフレットでもあり、当日も来場
者が手に取れるよう、本部・インフォメーションブースの机上に置かれていた
（図8-2）。
　当日配布された紙媒体のものは二つ折りとなっていたため、感染症対策は裏表
紙の下半分に掲載されていた。書かれているテクストは図8-2に書き出した通り

である。なお、以下で参照するために通し番号（⑥〜⑮）を付した。オンライン上の感染症対策の周知は、ベトナム語と日本語の2言語併記であったが、パンフレットは日本語のみとなっていた。

4. 実地調査から見える人々の相互作用

　フェス両日の実地調査を通して見えたことについて、入退場ゲートの設置による人の流れの変化（①、⑪）、ステージ演目と観客の様子（⑥、⑨、⑭）、ブースでの接客コミュニケーションの変化（③、⑨）、来場者の過ごし方（④、⑥、⑨）について考察していく。なお、括弧内の数字は、3節で紹介した報告書掲載の①〜⑤、パンフレット掲載の⑥〜⑮のどの感染症対策と関連しているかを示している。

4.1 入退場ゲート設置による人の流れの変化

　感染症対策を講じた国フェスで、最も大きく変わったことのひとつに人の流れがある。検温、手指消毒のために入退場ゲートを設置することは、フェス会場の内と外を分ける境界線を明示することにつながる（**図8-3**）。境界線は幕、柵、チェーン、テープなど、およそ乗り越えるのが不可能なものから、乗り越えようと思えば乗り越えられるものまでさまざまである。

　これまで代々木公園に限らず、大型公園で開催される入場無料の国フェスは、四方八方どこからでも入退出が可能であった。国フェスを目的に集まる人もいれば、たまたま居合わせて短時間を過ごす人もいた。目的意識をもって参加する人でなくても、目的地への近道を行くためにフェス会場を突っ切って行く人もいれば、迂回路になるけれども音楽や匂いに誘われて、フェス会場に寄り道をしていく人もいた。入退場ゲートの設置は、こうした「あてのない来場者」を除外する。

　それだけではない。かつて、境界線が曖昧ということは、パフォーマンスを披露する人や、ブースの設営準備をする人の占有空間も曖昧だった。会場の端で楽器を奏でているのは、国フェスの出演者たちが最後の調整をしている場面であったり、路上ライブさながらに道行く人に聞かせるための演奏であったりした。目に見えない境界線上、あるいは境界線の外では、ちょっとした営業が行われることもある。「便乗」営業であることは、段ボールを置いただけの簡易な店構えや、会場マップに掲載されていないこと、店名を掲げていないことなどから明らかである。出店者は出店料を支払い、定められた規約に従って営業しているわけだか

図8-3：ベトナムフェスティバル（2020年）の入退場ゲート

ら、その埒外で行われる営業は一部の人にとっては認めがたい行為かもしれない。主催者側が明確に把握しているフェス会場内であれば撤去するよう伝えられるが、境界線の外の場合は黙認せざるを得ない。そもそも、雑多な人で賑わうハレの日である祝祭の場には、そうした周縁部にも人が集まり、ちょっとした逸脱は「大目に見られ」許容される（秦・坂本 1993）。祭りとはそういうものといってもよいかもしれない。

　感染症対策のため、ひとりひとりの入退場が管理される国フェスは、ウチとソトを明確にもする。翻って、人々が能動的な参加意思をもって集まる場になるのである。

4.2　ステージ演目と観客

　国フェスのステージからは、その国の言語による歌や、馴染みのない人にとっては異国情緒たっぷりの音楽が流れる。その歌や音楽はステージ前の観客だけではなく、会場全体、さらには会場外にも届く。それを歌い奏でるのは日本を拠点

に活動するアーティストであったり、その国から招かれたアーティストだったりする。本国から招かれたアーティストは国フェス注目のプログラムになる。ただし、多くの場合、彼らの演奏を支えるサポートメンバーとして日本を拠点に活動する人々も関与する。このようにして育まれる文化交流はきわめて重要である。

　ところが、目下の国境封鎖により、アーティスト達の国際的な往来はできなくなっている。そのような状況の中で、国フェスを開催するということは、日本国内あるいは東京都内で活動するアーティスト達だけでプログラムを編成するということである。その場合、新しい発想でのプログラム構成が必要になる。あるいは、若手やアマチュアで活動をしている人にとってはステージに立つチャンスにもなる。

　感染症対策のうち、ステージを鑑賞する上で特に関係するのは「⑥マスクの着用」、「⑨対人距離」、「⑭声援の自粛」である。パンフレットには「マスク着用はルールです」と宣言調になっているものの、実際には「お願い」となる（3.2の投稿文を参照）。実行委員会としては、仮に着用していない人がいたとしても、強制することはできないし、それを理由に退場させることも難しい。そもそも飲食を伴うイベントである時点で、マスクを外すことになるのは必然である。しかし、少なくとも筆者が目視で確認した限り、マスクを着用せずに観客席にいる人はいなかった。これも4.1で述べた観客の能動性に依るところが大きいのではないかと考えられる。そう考える根拠を、観客の行動の観察記録から見ていきたい。

　図8-4はステージプログラムが始まる前に撮影した写真である。観客席の手前には感染症対策を促すパネルが設置してある。「マスク着用をお願いします」、「アルコール消毒」、「事前検温にご協力をお願いします」、「手洗いにご協力ください」、「接触確認アプリをインストールしましょう」の5項目の記載がある。この中で観客席にいる人に関連するのは「マスク着用」のみである。パネルに書かれていることを確認するために、このパネルの前で足を止める人はいない。このパネルは感染症対策の各項目を促しているというよりも、そのパネルの存在が、ひとりひとりがすでに認識している感染症対策行動を思い起こさせる機能をもっているといえよう。

　プログラム開始前（**図8-4**）、ステージ上には演者が複数人いるが、彼らは後のプログラムに出演する人々でリハーサルをしている。観客席にはすでに前の方から席が埋まっている。写真では見えにくいが、3人がけのベンチの真ん中は、ビニールテープで「×」と示されており、距離を開けて座ることが促されている。

図8-4：ベトナムフェスティバル（2020年）のメインステージ

この後の状況をフィールドノーツから抜粋する。

　　舞台上に総合司会者が登場し、プログラムの開始がアナウンスされた。司
　会者は自己紹介の後で、コロナ感染症対策として「互いの距離をあけるこ
　と」、「大声を出さず、拍手などで盛り上がる」ことを「お願い」として伝え
　た。続いて、写真や動画の撮影は構わないが、観客席の「柵の外からお願い
　します」とのアナウンスがあった。「柵とは？」という質問が観客席からあ
　り、ジェスチャーを交えてベンチの後ろにある柵（**図8-4**の筆者が撮影して
　いる立ち位置）だと伝える。すると、前列に座っていた人たちが手早く荷物
　をまとめ、我先にと柵の外に移動した。柵の外で一番良い場所を確保するた
　めである。　　　　　　　　　　　　　　（筆者フィールドノーツ、2020年11月7日）

　この様子から、これらの観客は特定の出演者のファンで、その人たちを撮影す
るために朝から来場し、定められた決まりを守って演目を鑑賞し、出演者を応援

しようとする人たちであることが窺える。

　プログラムが始まり、あらかじめ定められたタイムテーブルにそって演目が進んでいく。ステージに立つ人々は、一様にコロナ禍をどのように過ごしてきたか、こうしてステージに立つ日を迎えられたことがいかに意味深いものであるかを前置いていた。そして感謝の言葉と共に「声ではなく拍手や動作で盛り上がって欲しい」と観客に呼びかける。

　ところが、一旦演奏が始まると従来のライブで一般的だった観客への呼びかけが出てしまう。「元気ですか？」、「盛り上がってますか？」などである。今までであれば「イエイ！」といった発声による反応があるはずだが観客席からは何も呼応が出ない。柔軟な演者は、従来のやり方ではいけないと察知し、別の呼びかけにかえる。一例として、共通のジェスチャー（ガッツポーズや、両手を高く上げて振るなど）をすることが促される。演奏が終わると、ステージ前の人だけではなく、遠く離れた席にいる人たちも動作を合わせてくれたことに触れ、「嬉しかった」こととして謝意が示される。

　楽曲と楽曲の間のトークは、観客と演者が相互作用を楽しむ、ライブでしか味わえない時間である。国フェスに登場するアーティストの多くは、飲食や物販への関連づけをする。ベトナムフェスティバルならばベトナム料理やベトナムの民族衣装、工芸品などについて語る、ベトナム旅行の体験談なども談話資源となる（第7章参照）。従来の国フェスであれば、「何がおすすめですか？」とフロアーからの発言を促す質問も頻発する。しかし、これは、観客が声を出すことを禁じられているフェスティバルでは不適切な問いかけとなる。ある演者は、そのような従来通りの質問を発してから、彼女自身がその不適切さに気づいたのだろう。即座に「じゃなくて、もう何か食べましたか？」という、「はい／いいえ」で応えられる質問に切り替えていた。首を横に振る、縦に振る、観客に目を留め、「あ、食べました？」、「フォー食べました？」、「フォーではない」、「ビール飲みました？」とアイコンタクトでやりとりの相手を同定しながら、一方だけが声を発し、観客はジェスチャーで応答する「対話」が進められていた。

　このように、国フェスに限らず、観客が声を出すことが憚られる音楽フェスでは、演者と観客の相互作用も変わっていく。会場との一体感が醍醐味のコールアンドレスポンスも当分はできない。アイコンタクトや身体動作を用いた観客との相互作用をいかに生み出すかが、生演奏を大切にする演者と彼／彼女らのファンによって開拓されていくだろう。

図8-5：距離を取りながら振り付けを合わせる観客
（ベトナムフェスティバル、2020年）

　アイドルグループによるパフォーマンスでは、観客席の両端の比較的広い空間で、演者に合わせて終始無言で踊る若者達の様子が見られた（**図8-5**）。彼／彼女らは、声を一切出さず、振り付けを合わせることだけで支持を表現していた。こうした「新しい応援の作法」は、その場での互いの調整や参照はなく、演奏開始と同時に実践されていた。つまり、あらかじめオンライン・コミュニティ等で共有されていたと推測される。

　国フェスの舞台は、数十分おきに演者が入れ替わる。演者はパフォーマンスを持ち込むだけではなく、ファンとの所与の関係性も持ち込む。その程度は演者によって、大きく異なるだろう。国フェスの主催者は、自らオンラインを活用して来場者に呼びかけるだけではなく、こうした出演者とファンの関係性が持ち込まれることを想定しておく必要があるだろう。

4.3　飲食・物販エリアでの接客コミュニケーション

　飲食・物販エリアのブースに対して主催者側が行ったコロナ対策は「③消毒液の配布」と報告されている。同時に、「（消毒液は）持参している店舗が多かった」と報告書にあるように、各店舗もそれぞれ感染予防対策を講じている。それは、彼らの日常の営業で培われたものも多いだろうし、フェス当日の相互参照によっても促される。たとえば、店舗に並ぶ人の距離を保つための表示は、周りの店舗が行っているのを見て、即席に対応している店舗もあった。日頃、路面店を

営業している店舗は、そのような感染症対策が日常になっているだろうが、輸入卸業等の場合は一般客への接客をしていないため、そうした感染予防ガイドラインに馴染んでいるとは限らない。

コロナ禍で、飲食店の苦境が広く報道されている。飲食店といっても、店舗の規模、営業形態など、それぞれなので一律に扱うことはできないし、出店者数が多ければ、人々の密集を作り出す確率も上がるため、感染予防の観点からは出店者数が多いほどいいという話ではない。しかし、ベトナムフェスティバル実行委員会が発行する実施報告書によると、飲食ブースの出店数は、2019年は66軒だったのに対し、2020年は14軒ときわめて少なかったことが確認される（**表8-1**）。14軒のうち、ベトナムレストランの出店は6軒だった。レストラン以外では、在日ベトナム仏教信者会とベトナム大使館がベトナム料理を提供していた。ほかは、日本料理店と中華料理店で、これは短い準備期間といった事情からも、従来通りの参加が見込めないと予測した実行委員会が、フェスティバルの副題に「アジアの心」と付し、ベトナム関連に限らず参加を呼びかけたことによる。キッチンカーは5軒の出店があったが、そのうちベトナム料理を提供していたのは1軒のみだった。

飲食エリアでもあらかじめ築かれている関係性が確認された。従来の国フェスでは、人々は飲み物を片手に会場内をそぞろ歩き、店員の呼び込みに応じたりしながら、メニューを選ぶ様子が見られた。来場してから選択する人がほとんどである。しかし、コロナ禍のベトナムフェスティバルでは、入場するや真っ直ぐに店舗に行き、どんなに長い行列ができていても躊躇することなく最後尾に並ぶ

表8-1：ベトナムフェスティバル（2020年）出店者数

	2019年	2020年
飲食	66	14
キッチンカー	6	5
物販	45	24
協賛	16	3
本部・その他	10	6
合計	143	52

ベトナムフェスティバル2019実行委員会（2019）、
同2020実行委員会（2020）から筆者作成

人々が一定数確認された。

　フェスティバル2日目の午前中、間隔をあけて長い列に静かに並ぶ人々の姿は、2015年から代々木公園の催事を観察してきた筆者にとって異様に映った。列に並ぶ人に理由を聞くとSNSで話題の店だという。その店舗は、ベトナム人夫妻がやっていた料理店の味に惚れ込んだ日本人が、夫婦が店を継続できなくなった時（コロナ禍で、という意味ではない）に、店舗もレシピも譲り受け、味をそのままに守っているのだという。並んでいる人は「今日はこの店のバインミーを食べに来たのだから、売り切れにならなければいつまででも並ぶ」と他の店には関心を払わない。もちろん全員ではないが、少なくとも筆者が話を聞くことができた人は、この店の「ストーリー」や「評判」に共感し、それ（だけ）を目的に来場しているのである。

　さらに、コロナ禍以前の国フェスと比べて、飲食・物販エリアで大きく変わったことのひとつに配布物がある。コロナ以前の国フェスでは、会場を散策していると、さまざまなチラシや試供品等が手渡された。2020年のベトナムフェスティバルでは配布物がほとんどなかった。理由はいくつか考えられる。まず、チラシ類は関連するイベントのものが多いが、イベントそのものが開催されていないことが挙げられよう。次に、開催されたとしてもチラシを撒くような社会状況にないということもある。この間、オンラインでのコミュニケーションが急激に増え、広報の多くもオンラインに依存することになった。オンライン上のイベントの場合は、ほとんど紙媒体のチラシ類は用意しないだろう。また、接触の回避という意味もある。チラシや試供品類は、用意されていたとしても、人の手から人の手に渡すのではなく、机上に置かれ、関心のある人だけが持っていくという配布方法の変化が見られた。

　反対に、接触回避のために作成されたと思われる配布物もあった。飲食店のメニューである。従来の国フェスでは、店員が店舗前で呼び込みをしている姿がよく見られた。メニュー選択で迷っている人々に声をかけ、おすすめのメニューをアピールしたり、具材やスパイスの説明をしたりする。威勢のいい呼び込みの声は、国フェスといわずお祭りを活気づける。感染症対策下の国フェスでは、それができない。また、従来、メニューが用意されていたとしても、紙媒体ではなくパウチ加工したものを使い回すのが一般的だった。しかし、これは接触につながるため、感染症予防の観点からは望ましくない。そこで用意されたのが、紙に印刷したメニューである。その際、行き交う人に広く配るのではなく、購入を決め、

注文するために行列に並んだ人に手渡される。チラシにはメニューの他に、店主の思いや開店までの物語、レシピ開発の経緯など、記事風の文章が添えられていることもある。おしゃべりが憚られる行列待ちの間、それを読んで時間を紛らわせる、といった配慮でもあり、一種のマーケティング戦略ともいえる。

　コロナ禍で各種イベントが中止や延期を余儀なくされる中で、国フェスに来場する人の中には、単にフェスを楽しみたいという人もいるだろう。他方で、観客席にも、ブースエリアにも、従来から関係性を築いているアーティストや店舗を応援するために来場している人々が少なからず認められた。実際、行列が絶えない店舗は、日頃からSNSを活用しており、そこにフェスティバル出店の決定から、準備の様子、フェス当日は店舗を休業するお知らせと謝罪などが投稿されていた。どんなに行列が長くても、隣の店舗で済ませようとは考えない人々が、静かに順番を待つ姿は、彼／彼女らがこうした特定の店舗に愛着をもつ能動的な参加者であることを物語っている。

　以前と変わらない光景も見られた。在日ベトナム仏教信者会が提供するバインミーを求めて並ぶ人々の列である。以下は、2017年に、毎年ベトナムフェスティバルに参加しているという、日本の出版社に勤務するベトナム人女性（当時20代）に実施したインタビューからの抜粋である。なお、このインタビューは国フェスとは別日に、あらかじめ質問項目を整理し、写真などを見てもらいながら筆者の研究室で実施した。

　　　レストランエリアは見て回らないです。味が日本人向けになっているし自分
　　　で作るより値段が高い。お寺のところ（在日ベトナム仏教信者会のブース）
　　　で買います。それはお寺の人たちは困っているベトナム人をずっと助けてい
　　　ます。だからそこでバインミーを買うのは、半分はチャリティの気持ち。た
　　　ぶんベトナム人はそこで買う人が多いと思います。味も美味しいですよ。

　　　　　　　　　　　　　　　　　　　　　　（インタビュー実施日：2017年2月16日）

　在日ベトナム仏教信者会は、埼玉県本庄市にある大恩寺のティック・タム・チー住職が会長をつとめる一般社団法人で、生活に困窮する在日ベトナム人の「かけこみ寺」ともなっている。このコロナ禍で、支援活動が逼迫しているとの報道がなされている（NHK 2020）。このブースに並ぶ人々が、コロナ禍以前から「能動的参加者」であったことは言うまでもない。

朝のフリースペース　　　　　　　　　　　　　　　　混雑時のフリースペース

混雑時の会場外

図8-6：ベトナムフェスティバル（2020年）のフリースペース

4.4　フリースペースでの人々の動き

　最後に、フリースペースでの人の動きについて見る。感染症対策④の「定期的な消毒」を行ったフリースペースとは、会場中央に設置されたテントエリアを指す。テーブルが並べられ、食べ物を購入した人たちが自由に使える空間となっている。

　図8-6の左上の画像は、朝のフリースペースの様子である。右上の画像は、もっとも人出が多かった時の画像である。飲食のため、テント下ではマスクを外す人がほとんどであった。互いの距離は近く感染症リスクが高まる可能性を指摘せざるを得ない。右下は、右上と同時刻、同じ場所から、向きを変えて撮影した画像である。画像の右下にチェーンの仕切りが一部写っている。このチェーンで示された境界の向こう側は、フェス会場の外で、人の往来はまばらで広々としていることが確認される。

筆者が撮影した位置から、テントまでも比較的空間が空いており、実は人々が密集していたのは、テント下のみということが分かる。来場者は、一般的には店舗で飲み物と食べ物を購入するので、それらを置けるテーブルを使う必要がある。そのため、テント下に人が密集してしまうのである。テーブルを使わないならば、地面に置くしかないわけだが、会場内に敷物を敷くのはためらわれる。柵によって区切られた途端、その内側は誰でも好きに使える公共空間ではなく、「国フェスの会場」となるからである。敷物を敷いてのんびりと過ごしたいと考える人たちは、会場の外に出る。こうして見ると、密集を避けるために、飲食物を購入した人は、会場の外に出てピクニックを楽しめばよい、と考えがちであるが、問題はそう単純ではない。

　ボランティアの中には会場の衛生を保つ役割の人たちがいる。クリーンやエコ、リサイクルというコンセプトは、かねてより野外音楽フェスでも強調されている価値観で、フェス文化に共通する理念ともいえる。自分たちが楽しんだ後は、きれいにする、環境問題に対する意識をもつ、といった考え方である。ボランティアは「エコステーション」と称されるエリアで、きちんとしたゴミの分別を見守る存在として常駐し、定期的に会場内の清掃活動にもあたる。国フェスのウチとソトを明確に分ける境界線が引かれる前は、広く会場の外にまで広がって清掃活動をするボランティアの姿が見られた。しかし、境界線が明確になると、清掃活動も柵の内側で完結する。

　来場者の一部が、飲食物を会場内で買い求め、会場外で楽しむようになると、密集は避けることができるかもしれないが、清掃が行き届かないというリスクが高まる。それはフェス文化が共通してもつ理念にも反するし、国フェスの評判を下げることにもつながりかねない。4.1で、これまで緩やかだった境界線が、柵で取り囲まれることによって明確になったと述べた。境界線が壁のように乗り越えがたい素材であるか、チェーンのように簡単に乗り越えられるものであるかは、会場のウチとソトを明確に分ける上で、さほど重要ではない。境界線が示されることによって、人の入退場の流れが変わるだけではない。人々がどこまでをフェス会場と見なすか、区切られた場のウチとソトで、何をすることが許される／許されないか、どこまでを責任の及ぶ範囲とみなすか、といったことにも影響を与えるのである。

5.　本章のまとめ

　新型コロナウイルス感染症の広がりは、私たちのこれまでの行動様式を根本的に変えることを要請した。人々は集まることや寄り添うことを当たり前の社会行動としてきた。人が集まることは祭りや催事の原点でもある。催事でなくても、共通の目標を成し遂げるのに、集まりをもって始まり、集まりをもって終えるのは極めて当然のことであった。人々は、楽しむために集まり、慰め合うために集まり、計画を練るために集まる。それは行動様式としてほぼ自動制御されている。コロナ禍での「新しい日常」の模索は、この自動再生される行動様式に改変を迫っている。相互作用秩序の書き換えといっても大げさではない。

　感染症予防の観点から考えて、野外の活動は、屋内よりも換気の面や対人距離を確保する上でより安全とも考えられる。しかし、公共空間であることや、広く目に留りやすいことなどから注目を集めやすい。そのため、万全な感染症対策を遂行しうるかを考えた時、開催をためらう主催者や運営者は少なくない。

　本章では、感染症対策そのものを検討するというよりも、感染症対策を実施することで変容する国フェスのありようを考察した。来場者の検温、手指消毒の徹底、マスク着用の確認など、来場者の健康および公衆衛生管理のための方策は、人の流れだけではなく、国フェスの空間認識そのものを変える。どこからでもアクセス可能で、ウチとソトの境界線が不明瞭だった国フェスの会場は、境界線が引かれ、空間が識別される。そこに入る人は能動的な来場者、参加者となる。

　能動的な参加者は、あらかじめ目的をもって来る。日頃から応援している演者や付き合いのある事業者のために来る。感染症対策のための行動様式では、そうした既存の関係性を通して、すでに共有されているものが持ち込まれることになる。オンライン・エスノグラフィーの方法論を提示するHine（2015）は、デジタル領域の日常への埋め込みを理由に、自身がかつて掲げたヴァーチャル・エスノグラフィー（Hine 2000）という用語を退ける。デジタル領域での活動は、もはや「仮想」ではなく、実在としてある。催事の主催者や運営者は、自らデジタルのフェス会場（サイト）を活用するだけではなく、そうした関係性を参加者ひとりひとりが持ち込むことも視野に入れていかなくてはならない。それは、国境封鎖が解かれ、海外アーティストの行き来が再開された時、また新しい様相を呈することになるだろう。

　また、「新しい日常」の国フェスでの実地調査を通して、研究者のフィールド

ワークの方法にも見直しが必要であることを感じた。感染症対策の観点からいえ
ば、調査者が不特定の人に話しかけることはマナー違反である。定点カメラを介
したビッグデータによる人々の動きの解析からの知見も数多く報告されている。
しかし、そこに人々の動きは見えても、なぜ、どのように、といった根拠や理由、
兆候と外れ値の見極めなどは難しい。温度、匂い、風、緊張感や高揚感など、そ
の場にいるからこそ掴める情報がたくさんある。現場での聞き取りは直観的に捉
えた場面の理解を深めるために重要である。その場にいる人に教えてもらう。そ
れこそが国際交流を趣旨としたフェスティバルでのフィールドワークの醍醐味で
ある。「新しい日常」のフィールドワークの方法も検討していかなくてはならな
い。

オートリキシャの展示と販売（ナマステ・インディア、2016年）

2020年11月、コロナ禍のベトナムフェスティバルで、以前と変わらないと感じた場面があった。在日ベトナム学生青年協会（VYSA）のブースで、元気に活動するベトナム人留学生達の姿である。

VYSAは、「在日ベトナム人同士の交流。学習・仕事・生活のサポート。ベトナムの民族文化を守り、日越の文化交流の架け橋となる」ことを目的に2001年に設立された団体である（KOKORO 2020）。ベトナムフェスティバルには、毎年参加しており、プログラム内容はメンバーが話し合って決めている。国フェス全体の協力団体として運営面にも携わり、ボランティアとして貢献するメンバーもいる。

感染症対策徹底のもと開催されたベトナムフェスティバルのメインステージで、ベトナムのダンスを披露したメンバー達は、最後に、観客に「ブースにも立ち寄ってください」と呼びかけた。そこで、ブースに行ってみると、そこでは2020年10月に起きたベトナム中部洪水の被災者支援のためのチャリティバザーを行っていた。販売していた手工芸品はベトナムから送ってもらった草木で制作したアクセサリーや布製のマスク、ドライハーブのポプリ、Tシャツなどである。

接客をしてくれた留学生に話を聞いた。

コロナ禍の ベトナムフェスティバル

つながりを絶やさない
留学生達の輪

猿橋：コロナで困っていませんか。

＊＊：故郷の家族は無事です。毎日SNSで連絡をとっていますから心配ありません。コロナは大変だけど（ベトナムで起きた）洪水に比べたらひとりひとりが我慢すればいいことです。洪水の被害は本当に大変で、コロナで支援が届かない。（写真を見せながら説明）

猿橋：本当に（洪水被害は）大変。さっきステージに出ていた人達が、ここ（ブース）に寄ってくださいって言っていて、それで来てみたんです。

＊＊：そうなんですね。僕たちの
　　　団体の中には家族や親戚が
　　　洪水被害にあっている人も
　　　います。だから、フェス
　　　ティバルが開催されると聞
　　　いて、何をやろうかって話
　　　になったときに、ここを助
　　　ける何かをしようというの
　　　はすぐに決まりました。グ
　　　ループに分かれて、情報を

集める班、この（パネルの）写真とか。あとバザーで何を売るか、品
物を選んで仕入れるグループ。舞台で踊っている子達も、自分達には
何ができるだろうって考えて。ベトナムの踊り、見ている人が元気に
なれるような。オンラインで何回も会議して、頑張って練習していま
した。こんな大きなステージで踊れるなんて、すごいですよね。

猿橋：あなたは踊らないの？

＊＊：僕ですか？　あはは、僕は踊れない。僕は勉強を頑張らなくちゃ。

（筆者フィールドノーツ、2020年11月7日）

　彼は、今、医師を志し、医学部で学んでいるそうだ。

　後日、VYSA の Facebook には、バザーの収益が107,866円、活動趣旨に
賛同したベトナムフェスティバルから寄付を受け、集まったお金の総額は
121,866円と報告されていた。支援してくれた人々への感謝と、被災地に届け
ること、困っている人たちへの支援活動を継続していく旨が投稿されていた。

　　　　　　　　　　　彼らとて、コロナ禍前と変わ
　　　　　　　　　　　らないはずはあるまい。それぞ
　　　　　　　　　　　れ不安や不便さ、直接・間接の
　　　　　　　　　　　困難を抱えているはずである。
　　　　　　　　　　　それでも、今、自分にできるこ
　　　　　　　　　　　とは何かを考え、それぞれが持
　　　　　　　　　　　ち場で力を発揮し、点を線につ
　　　　　　　　　　　なごうとしている。

第9章

結論

多様性が価値づけられる
多言語公共空間形成過程
への示唆

会場清掃ボランティア（ベトナムフェスティバル、2016年）

1.　はじめに

　本書は、都市の大型公園、広場、目抜き通り、商店街、寺社の境内、運動場など、野外の公共空間で、年に一度（多くても二度）、週末や祝祭日に開催される、諸外国の国名や地域名を冠した催事を「国フェス」と称し、研究の対象とした。国フェスには、期間限定で、催事が掲げる国や地域の音楽、舞踊、飲食物、雑貨、服飾、ライフスタイル、スポーツなど、さまざまな文化活動が持ち込まれる。そして基本的には入場無料で、期間中、誰でも自由に出入りができる。

　国フェスを研究の対象とすることには、さまざまな意義が認められる。たとえば、特定の国はもとより、より一般的に、国家とは何かという現代を生きる人々の国家イメージを探ることもできよう。多様な社会的・文化的背景をもつ人々が自由に出入りすることができる、多様性が顕著な大都市の公共空間での相互作用と、秩序形成を垣間見ることも可能である。移住者コミュニティの発展段階や結束度、彼らのエスニックビジネスや文化活動の活性度、そうした活動への日本人の参加・協力の諸相にも触れることができる。

　これらの観点は、政治学や社会学、文化人類学、コミュニケーション学、都市研究、マーケティングなど、さまざまな学問領域の研究課題とも結びつく。社会言語学との関連は、大きく分けて二点ある。ひとつは、これらの研究課題を解明するために、方法論的な貢献が可能となる。「言語の社会的使用」とされる談話の概念、および言語に加え、非言語の手がかりや動きも合わせて、相互作用や意味を生み出すと捉える記号論や語用論の観点は、その有効な手段となる。

　もうひとつには、社会言語学の研究課題にも結びつく。人の移動による社会の多言語化、移住者コミュニティ内の言語維持、次世代の言語継承、ホスト社会の言語や国際言語としての英語などとの言語混淆などは、社会言語学が関心を寄せる研究課題である。文化的多様性が豊かなこととして価値づけられる国フェスの会場で、どの程度、言語的な多様性も促進されているのか。もし、言語的な多様性を阻害する要因やきっかけがあるとするならば、それはどのようなもので、どのような場面で生じているのか、などである。

　本書は、国フェスを研究対象とする際の、こうした社会言語学の方法論的貢献可能性と、社会言語学上の研究課題との接合において、談話という観点から接近を試みた。本章では、第2章から第8章までの分析結果を振り返る。それらを相互参照しながら、社会言語学的に見出される国フェスとは何か、すなわち国フェ

スの談話について、移住者コミュニティにとっての意義、文化的多様性と言語的多様性の価値づけをめぐるギャップ、オンラインメディアによる影響を含め、国フェスの談話の将来的な可能性について論じる。最後に、国フェス研究の課題と展望を、研究の方法論の観点から述べて、本書の結びとする。

2. 各章の結果と考察

第2章では、実地調査を行った15件の国フェスについて、開催の経緯と現状を簡潔に見ていった。国フェスが発足する経緯はさまざまで、文化活動の紹介と交流、ビジネス機会の創出、日本に暮らす当該国出身者の結束、外交関係（特に周年記念行事）などがある。東京の高等学校の国際交流活動から始まり、今も事務局を当該の高校に置いているラオスフェスティバルは、個性的な事例である。

かねてから商工会議所や大使館、領事館の協力や後援を受けることはあったが、こうした在外拠点が提案したり、主導する形で国フェスが展開されたりするようになるのは2000年代後半からである。これは、世界的な関心を集めたジョセフ・ナイ著『ソフト・パワー』（Nye 2004）の刊行が2004年であったことと時代的にも符合する。

大使館など、公的な機関が関与することや、支援が受けやすくなることは、国フェスの定期開催を安定させる。条件が揃ったときに、場所を探して開催されるという発想ではなく、毎年、同じ時期に、同じ場所で開催されるようになる。準備から完了までの手順は定式化され、毎年の記録も蓄積されるようになる。大規模化することに伴い、部分的に外部委託も進んでいく。

こうした枠組みの共有が、異なる催事を類似のものと印象づけることに寄与していると考えられる。とはいえ、国フェスの内容を充実させるのは、開催地周辺のレストランをはじめとするエスニックビジネスや文化活動の多彩な取り組みと、安定した蓄積にかかっている。国フェスが、価値づけている文化的な多様性を展開させるためには、日本に暮らす当該国出身者の参加が欠かせない。

第3章では、国フェスのチラシを素材に、国フェスが何を呈示しているかをマルチモーダル談話分析（MDA）で見た。MDAは、テクストや画の配置、それらの隣接関係やコントラストが、製作者が意図している・いないにかかわらず、社会的な構成物として、その社会的出来事に埋め込まれている価値観や世界観を映し出しているとの前提に立ち、その構造や意味世界を読み解こうとする研究手

法である。

　8件の国フェスのチラシはそれぞれ異なり、A4判一枚に配置された記号群の解釈は煩雑に見える。しかし、テクストや画を、空間領域ごとに整理していくと、共通点も見出される。テクストとして盛り込まれているのは催事名、アクセス情報、プログラム内容、関係者・構成員、装飾の5つのいずれかに分類される。テクストのみで見ると、最も強調されているのは催事名と日付だが、隣接する画に加え、領域をまたいで示されたり、複数の領域で繰り返し示されたりする記号に着目して読み解いていくと、それぞれのチラシが強調したいメッセージや意味が読み取れる。

　チラシに配置される画からは、国フェスが、数や種類の多さを価値づけていることが示される。それらの画が、どのようなテクストで説明されたり、画どうしを結びつけたりしているかを見ていくと、何に価値が置かれているかが見出される。一例として、ブラジルフェスティバルの出演者の画像のMDAからは、ステージ出演者が多数いることだけでなく、本国から来日するアーティストと、ブラジル出身で（音楽ジャンルを問わず）活躍する在日ブラジル人アーティストを、ほぼ等しく価値づけていることが読み取れた。

　続いて、当該国の言語がどのように扱われているかを見た。その結果、その国の主要な言語1つが用いられていることと、一例（ブラジルフェスティバルのポルトガル語）を除いては、きわめて限られた装飾的な使用にとどまっていることが確認された。一方で、MDAによって、チラシがもっとも伝えたいメッセージがどこにあるかを探索していくと、8例中、4例でチラシの中心的なテクストや画に付随して、当該国言語が表出していることが見出された。

　この点は、当該国言語の使用は、量的・質的に豊かな用いられ方というレベルには至っていないが、その価値づけは潜在的に広く行われていることを指し示しているといえるのではないだろうか。コーパスの分析などとは異なる解釈がMDAによって導き出される可能性が示された。なお、MDAで導き出されたもっとも伝えたいメッセージ、すなわち国フェスの談話には、「大規模」「本国と日本で活躍する文化人」「アクセシビリティ」「公式性」「洗練さ」「文化ジャンルの広がり」「発見と驚き」「愛着」「相互協調の過程」「出会い」「歓迎」「真正性」の12項目が抽出された。

　第4章では、国フェス会場の掲示物の言語景観調査を通して、当該国名が、どのように演出されているか、その他の地名との関係に注目して分析した。国フェ

ス全体を見渡すと、国名は、単独で、あるいは形容詞や名詞と結びついてあちこちで表示されている。それらには、ジャンルや類型を示す、優れたものや特別なものを示す、擬人化されたり愛着を注ぐ対象として呼びかけられる、空間を埋める装飾となるといった用いられ方が確認された。

　One Love Jamaica Festivalに出店していたキッチンカーのメニュー説明文の談話分析からは、その国の食文化だけではなく、そのレストランが大切にしている価値観やコンセプト（たとえば、健康志向や丁寧さ、手作りの温かみ）なども束ねられて国名が付されていることを見た。国内の都市名については、フェス会場内の拠点を示す例や（たとえば、ミャンマー祭り会場内のヤンゴンステージとマンダレーステージ）、数詞の代用として用いられる例（たとえば、ベトナムフェスティバルの抽選会の賞の名前としてホーチミン賞、ハノイ賞など）を示した。都市名や観光地名などの地名はいつもその土地や文化を紹介するものとは限らず、国フェスの会場内で記号としてさまざまな機能を果たす。

　また、国より広範な次元の地域名（たとえば、アジアなど）を出すことで、他国名を表出させやすくなる。その際、当該国が筆頭となり、隣接する国々が出現していく。それは、たとえば、諸外国の酒類を扱っているような店舗の場合、配列を入れ替えることで他の国フェスにも馴染む。こうした例は、諸外国のレパートリーを備えておけば、陳列のしかた（序列）を入れ替えるだけで他の文脈にも適合できるという汎用性につながる。種類や数の豊かさを備えていることに変わりはないが、国フェスどうしの類似を印象づける一面にもつながりうる。

　さらに、ベトナムフェスティバルを事例に、ベトナムの地名と日本の地名の表出を比較した。「ベトナム」という国名の表記は抜きん出て多く、繰り返し出現している。他方、ベトナム国内の省や都市の出現は少なかった。対して、日本の地名は、より細かなエリア名や所在地が多く表出していることが確認された。このような分析から、国フェスを支えているのは、会場周辺で展開しているエスニックビジネスや語学学校、文化活動団体、民族学校などであることを確認した。

　ここではテクストとして表示されている国名・地名に限った分析としたが、それらは国旗や代表的建造物、文化や産品など、他の記号が代用していることもある。会場では、隣接する記号群は、あらかじめ準備された看板等に限らず、手書きの張り紙、音声、人の動きなどさまざまな形態を取る。言語景観についてもMDAや地理記号論を用いるなど、他の手法も用いて見ていく余地がある。

　国フェスの会場は、ステージエリアと、飲食・物販テントが立ち並ぶブースエ

リアに大きく分けられる。第5章では、アイ・ラブ・アイルランド・フェスティバルのメインステージで、通訳が入るトークショーを事例に、通訳をどう入れていくかを調整する場面と、「通訳が欠落する場面」について、その相互作用と場面転換の過程に注目して分析した。

　まず、通訳をどう入れていくかの調整は、誰が通訳を必要としているのかについての認識と関連していることを見た。それは来場者をどのような人々と見ているかとも関連している。この事例では、総合司会者と通訳者の間で、観客の言語能力について認識の違いがあり、それが通訳をどう入れて進行するかについての見解の違いを生んでいたことを分析した。

　次に、通訳が欠落するきっかけを見た。第一に、スピーカーが強調したいことを2言語で伝え、観客の呼応により会場内に一体感が生まれた時、通訳は割愛された。第二に、通訳を必要としているスピーカーが、非言語を手がかりに話題や進行を読み取り、通訳を待たずに応じた時、通訳は遮られ、無効化された。第三に、通訳者が話題を提案するなど、相互作用の中心的な存在となった時にも、通訳が省略された。

　また、これらの通訳の欠落は、会場の盛り上がり、話題のカジュアル化、話し方のカジュアル化などと共起していることを確認した。一方で、カジュアルな話題や相互作用には、社会的・文化的な知識や価値観が盛り込まれていないわけではない。むしろ、その場でのふさわしさにかかわる、きわどい内容や、繊細な判断、活発な交渉が伴っていた。そのため、カジュアル化や盛り上がりに伴う通訳の欠落は、そうした相互作用に盛り込まれている情報にアクセスできない情報弱者を生みだしかねない一面もある。

　ステージ上の複数言語での相互作用は、即興的に進められる以上、多かれ少なかれ偏りが生じるだろう。同じ場を共有しながら、それぞれの言語で何が伝えられ、何が伝えられていないのか。伝わっていることに差が生じることが、相互理解や交流にどのような影響を及ぼしうるのかなどは、丁寧に、時に批判的な視座も交えて見ていく必要がある。また、会場の盛り上がりや一体感はフェスティバルにとって欠かせない質感である。盛り上がりと複数言語での情報伝達やコミュニケーションを最大限有効にする方法は、さらなる事例研究の蓄積で探究していく意義がある。

　第6章では、当該国の言語が顕在化することの意義に注目し、ブースエリアで展開される言語関連活動を見た。ここでいう言語関連活動とは、言語を紹介する、

参加者に体験してもらうなどの活動で、言語そのものが商品やサービスとしての価値を帯びて展開される活動とした。

　語学学校やエスニックメディア、出版物の輸入・販売業者などは、日頃から当該国の言語に特化した業務を担っているといえる。国フェスには、これらの学校や企業の出店も多数ある。他方で、日頃は言語に関連する活動をしていない企業や団体でも、国フェスに限って言語関連活動を展開するブースが確認された。第6章では、来場者に参加、体験を促す言語関連活動として、ベトナムフェスティバル、カンボジアフェスティバル、ミャンマー祭りから、ベトナム語講座、クメール文字体験、ミャンマー文字体験と会話帳の配布の3事例について、フィールドノーツに基づいて紹介した。

　これらの事例から、日本に暮らす当該国出身者が中心になって取り組まれているという共通点が見出された。それは、日頃の日本人の上司と外国人の部下という関係が逆転する機会にもなる。また、国際協力や外国人生活相談に取り組む組織・団体の場合、その活動そのものは社会問題や生活上の困難であるため、華やかなフェスティバルの雰囲気に馴染まない一面もあるが、言語関連活動が、その国の負の面を伝える上での迂回路や緩衝点ともなる可能性が示唆された。

　内容面では簡単な文法や発音、表現に加え、文字を紹介する活動が共通して見られた。これには15分から30分程度で完結させる時間的な都合も関係していよう。国フェスでは文字が国のシンボルとなっていることも（第3章参照）、関係しているかもしれない。表現などを練習する場面では、他のエリアで使えるようにと買い物時のやりとりについて、商品名との組み合わせで紹介する傾向を見た。これについては教育の娯楽化や商業化などとの関連も含めて、引き続き見ていく必要がある。

　他方、そのようにして習いたての表現を会場内で使ってみることが促されるものの、実際に使用している場面はほとんど確認できなかった。むしろ、国フェスでは、日本語でその国の文化に触れることが価値づけられることが多い。習った当該国の言語を実際に使用してみる機会は、会場内の連携などによって作り出していくこともできるだろう。当該国の言語に馴染みのない来場者が、疎外感を感じることなく、言語文化に触れる機会をどう作っていくか、工夫の余地がある。

　第7章では、台湾フェスタで、台湾の原住民音楽に観客を誘う日本語の楽曲間トークについて、地理記号論（Scollon & Scollon 2003, 2004）における、社会的出来事の談話を生み出す3つの概念を枠組みにして見ていった。3つの概念とは、場

のディスコース、相互作用秩序、歴史的身体である。

　3回の楽曲間トークの中で、最初のトークでは、台湾フェスタという場のディスコースへの関連づけに重点が置かれていた。2回目の楽曲間トークでは、幾重にも関連づけられる歴史的身体の語りが展開された。最後の楽曲間トークでは、観客との相互作用秩序を書き換えるコミュニケーションが行われた。すなわち、音楽を聞く側から、台湾原住民の楽曲を一緒に歌うことへの誘いである。

　限られた時間の公演の中で、来場者は、中国語や台湾原住民の音楽に触れるだけではなく、台湾原住民の曲を一緒に歌う経験へと誘われた。それは、観客の参加だけではなく、ブースエリアも含めて広く国フェス会場内に台湾原住民の音楽が響きわたるという、台湾フェスタの会場をより台湾らしくすることにも寄与することになる。

　この事例が特に注目されるのは、その国の国語や公用語など、限られた1つの言語に集約されがちな国フェスの多言語公共空間において、台湾原住民語の紹介がメインステージ上でなされた点にある。翻って、このような実践は非常に限られている。多様な文化的産物が価値づけられている国フェスの空間で、言語的多様性も価値づけられていくためには何が必要なのか、馴染みのない人にとっても無理なく参加できるようにするためには何ができるのか、そのような課題に、こうした事例は示唆を与えるところとなる。

　第8章では、感染症対策を講じた国フェスの取り組みと課題について、2020年11月初旬、コロナ禍で実施されたベトナムフェスティバルを事例に考察した。国フェスに限らず、祭り等の催事は、多くの人が集まること、人々が親交を深めること、知らない人どうしが出会うことなど、密集することや接触することをよしとする活動である。ソーシャルディスタンスとは真逆の志向性をもっている。

　本章では、いかに人と人との接触を避けてフェスティバルを実現しうるか、という観点ではなく、そうした対策を講じることで生じる、国フェスの場の力動や、相互作用の変化を記録することに重点を置いて取り組んだ。以下の三点が導き出された。

　第一に、感染症予防対策を講じた国フェスでは、人の入退場の管理が必須である。これは、従来であれば曖昧であった会場の境界線を明確にもする。通りすがりで参加する人は少なくなり、参加意識をもって集まる人が中心となる。ボランティアの会場の見回りや清掃活動も、会場内に限定され、催事のウチとソトが明確に峻別される。

第二に、ステージ出演者を海外から招くことが難しくなり、日本国内で活動している演者が中心となる。観客席には、演者を日頃から応援している人々が来場する。「新しい日常」の応援マナーは、演者とそのファンの間ですでに了解済みのものとなる。そこでは両者に了解された相互作用が展開される。演者にはファンではない人々に疎外感を感じさせないような、声がけやトークをするなどの新しいステージトークが求められるようになる。第7章で見た、コールアンドレスポンスで共に歌うといった機会は作り出しにくくなる。

　こうした、あらかじめ築かれている関係性は飲食・物販エリアでも見られる。従来の国フェスでは、会場に来てから出店ブースを見て回り、食べる料理や買う物を決めるという光景が一般的であった。「新しい日常」の国フェスでは日頃から関係性のある飲食店を応援するために、目的をもって来場・参加するということが増えていくだろう。日常のレストラン営業や音楽教室、舞踊教室などでの文化活動が持ち込まれるだけではなく、そこで培われた人間関係や行動様式が持ち込まれる場となるといえよう。

　第三に、配布物・印刷物の機能や配布方法が変わる。これまでの国フェスでは、会場内で展開されているのとは異なる諸活動の案内がチラシとして配られることが一般的であった。感染症対策を講じた国フェスでは、不特定多数の人々に話しかけたり、即興的な舞台演出で人を集めて説明をしたりすることが控えられる。フェスティバルにもかかわらず、人々は静かにプログラムに参加したり、行列に並んだりする。チラシなどの印刷物には、目の前にある料理やレストランの説明、文化活動の紹介などが刷られ、人々は待ち時間や、会場を後にしてから、それらを読んで理解を深めるということが増える。紙媒体がなくなるということはないが、そこから情報はデジタル領域に紐づけられ、デジタルとの融合はさらに加速し、多様化していくだろう。

3.　　国フェスの談話：移住者コミュニティと多様性の価値づけの観点から

　本書では、エスノグラフィックなフィールドワークに基づき、国フェスに流通するモノ、コト、価値などを談話として見てきた。フィールドワークでは、現場での観察や聞き取りを通して、問いやテーマが浮上する。一方で、実際の質的なデータ分析は、断片的となるため、全体を描き切ったとは到底いえない。それでも、歴史的な経緯、事前に広く公開・配布されるチラシ、会場内の言語景観に見

る国名・地名、通訳が配置されているステージでのトークショー、ブースエリアでの当該国の言語を紹介する活動、多言語シンガーによる、マイノリティ言語の歌を観客と共に歌うまでの誘い、集まることや盛り上がることを抑制せざるを得ない感染症対策を講じた国フェスと、首都圏における国フェスという社会的営為を多角的に紹介するよう努めた。

　最後に、国フェスにおける多様性の価値づけについて、移住者コミュニティにとっての意味と、多言語が行き交う「多言語公共空間」という観点から考察し、本書の結論としたい。

　国フェスは、国ごとに持ち込まれるモノ・コトは異なるが、多様性を豊かさとして価値づけるという点では共通している。音楽フェスやフードフェスが、ジャンルを特定して開催されるのに対し、国フェスは国名を掲げ、そのもとに多様な文化実践を集める。その国から持ち込まれるモノや、その国で活躍しているパフォーマーの来日は、談話上、強調して価値づけられるが、やはり会場周辺で展開されるエスニックビジネスや文化活動に多くを頼ることになる。そうした活動の蓄積なくして国フェスの実現は難しいし、また、国フェスの空間がそうした活動の活性度や蓄積、多様性の度合いを推し量る指標ともなる。

　一方で、多様性を豊かさとしていながら、互いに類似した催事という印象を与えるのには、いくつかの理由がある。たとえば、先に挙げた、その国から招いたゲストパフォーマーを強調するといった談話も、その一部となっているだろう。つまり、統一されたイメージの共有を促す談話が、すべてではないが確実に存在する。チラシのMDAから一例を挙げるなら、単一の印象世界の提示や、代表的な言語を一部だけに象徴的に用いるといった表現の仕方がある。それぞれ固有の文化コンテンツを持ち込むのであるが、その運営方式などが相互参照されたり、大規模化を通じて外部委託されたりといった過程も、相互の類似性を生み出していくと考えられる。ソフトパワー戦略や国家ブランド化（Billig 1995; Nye 2004; Anholt 2007; Aronczyk 2008）などとも、無関係ではあり得ない。

　それでも、繰り返しとなるが、実際の国フェスの会場には、会場周辺で展開されるエスニックビジネスや文化活動が持ち込まれるので、直線的な画一化は辿りようがない。なぜなら、個々の文化実践は、それぞれの活動場所での人間関係や出会いなどによって、それぞれ独自の継承や創造、混淆の過程の只中にあり、それが国フェス会場に持ち込まれるからである。「ジャマイカデラックス」は、ジャマイカ産の野菜を使用したジャマイカ料理の盛り合わせを意味するだけでは

211

なく、その店主が価値づける健康志向や手作りの温かみなど、ジャマイカと結び
つく必然性のない価値も盛り込んで呈示される。

　多様性を誘引するのは、ローカルな文化実践に限らない。「ベトナムには多様
な麺文化があるのに、なぜ日本ではフォーしか紹介されないのか」という一定層
から聞かれていた疑問や不満は、アメリカ合衆国大統領がハノイの食堂を訪れた
という出来事をきっかけに、たちまち解消される。もちろん、そこから二頭立て
となっていくか、多様性の開花につながっていくかは、未知数で、その先はまた
ローカルな展開に依拠していくことになる。

　さて、では言語についてはどうか。国フェスの会場では、それ以外の場所に比
べて、圧倒的にその国の出身者たちが集う場所になっているので、私的な会話に
関していえば、日本語以外の言語が行き交う空間となっている。しかし、事前に
配布されるチラシや、看板に掲示されるテクスト、ステージ上で披露される言語
に関していえば、日本語が大半を占める。当該国の言語については、開会式のよ
うな式典の場では顕在化するが、その場合、多言語国家であっても、その国を代
表する1つの言語に集約される。芸能、食べ物、手工芸品、服飾、いずれをとっ
ても多様性は豊かさとして、その種類の多いことが陳列されるが、こと言語に関
してはそのような多様性は前景化されていない。

　ただし、それはマイナーな言語の紹介が皆無であるということではない。第6
章で見たように、その国の言語の紹介は、人だかりをつくりだしたり、会場内の
別のエリアとも関連づけられたり、ハレの場に躊躇されるような活動を紹介する
際の迂回路となったり、さまざまな役割を伴いながら披露・提案され、来場者に
歓迎されている。また、台湾フェスタの事例で、日本語を媒介語としながら、中
国語の歌を披露し、台湾原住民の歌を来場者と共に歌うという実践も見た（第7
章）。観客席の反応から、こうした文化実践はおおいに歓迎されていることが確
認される。

　ただし、第6章で見たように、それらの活動は、たとえ会場内での連携が呼び
かけられていたとしても、それが実践されている様子はほとんど確認することが
できなかった。その理由のひとつとして、たとえば「今、習った表現を会場内で
使ってみてください」と呼びかけて講座を終えたとしても、会場内のほとんどの
店舗において、日本語で接客や説明ができることが前提として価値づけられてい
るからである。当該国言語が行き交う場所を作り出すには、その言語を文化資本
として活用することへの了解が、広く共有されていない限りは難しいだろう。

　また、国フェスの会場内で、当該国言語が顕在化されているのは、チラシに印刷されたり、看板に刻まれたりしている文字である。このことは、第6章で見た言語関連活動の2事例が、言語というよりも文字に親しむというプログラムであることと符合している。当該国言語は、国フェスの会場内に流通する潜在的な価値を確かに有しているが、それを活発に循環させるには、文字に馴染むという面を活用していくという道筋もあるだろう。

　総じて、言語的多様性を豊かさとして価値づける活動は、言語以外の文化的多様性を豊かさとして価値づける活動に比べると限られている。当該国の国語ですら限られており、いわんやその国のマイノリティ言語については、活動事例を数多くは見出せないのも事実である。しかし、第7章で紹介したとおり、皆無ではないし、来場者はそれを享受している。そのような活動に光をあてていくことが、多言語公共空間の形成に向けて国フェスの談話研究がなしうる貢献になるのではないだろうか。これは、言語政策研究者のMcCarty（2011）が、どのような理念で展開される言語政策であっても、現場の必要と熱意によって、その資源を活用し、新しい転換を生み出す可能性があることを示唆したことにも通じる。

　また、デジタル領域との接合は年を追うごとに密接になり、特に新型コロナウイルスの感染症拡大が、国フェスの情報拠点としてのデジタル領域の存在意義を高めていることを確認した。

　移民の言語継承の研究においても、デジタル化により、これまでの通説が見直されつつある。たとえば、無料のビデオ通話アプリ等の普及は、移民二世の子ども達と祖国にいる祖父母との日常的なやりとりを可能にした。それにより従来、三世代で完結すると言われてきた移民の言語移行も緩和され、民族言語継承の可能性が格段に高まったことが指摘されている（Szecsi & Szilagyi 2012）。

　さらに、Szecsi and Szilagyi（2012）は、ビデオ通話による故郷との接続が、継承言語の保持だけではなく、文化の伝達や民族的アイデンティティの形成、家族の絆の強化にも良い作用をもたらしていることを指摘している。移民二世の子どもが母国での文化風習の実践に共時的に触れることもできるというわけである。もはや、このような文化体験は、移民とその子孫に限定されるものではない。都心の大型公園で開催される国フェスで、さまざまな文化実践に触れた人は、誰でも愛好家コミュニティに所属できるし、本国での文化実践にもオンラインツールを介して容易にアクセスしながら、文化コミュニティの一員として国境をまたいで活躍することも可能である。多言語公共空間の形成はデジタル空間との相互作

用およびデジタルツールの活用を抜きには語れない。

　確かに、今回の調査では、言語的多様性と、言語以外の文化的多様性には、豊かさとしての価値づけに温度差が確認された。しかし、こうした国フェスの談話が恒常的であるとは限らない。国フェスの談話の新陳代謝の中で、きっかけさえあれば、言語的多様性を志向する談話の循環は盛起しうる。そうした活動が皆無でない限り、また、そうした活動が今は点在しているに過ぎないとしても、来場者に歓迎されているのが確認される限り、その可能性はあるといえよう。フェスには、そうした試行的取り組みを許容し、新しい兆しを感知させ、それを点から線へ、さらにうねりへと展開させる活力と磁場が、あると感じられるのである。

4.　国フェス研究の課題と展望：方法論の観点から

　最後に、本研究の課題と展望について、研究の方法論の観点から述べ、結びとしたい。

　代々木公園を拠点にした週末 2 日間だけの実地調査だが、そこに持ち込まれるモノ、コト、ヒトの量、数は膨大である。そこにめまぐるしい動きが加わり、どこにフォーカスをあてて現象を見ればよいのか、フィールドワークの初期段階は、一種の船酔いにも似た感覚に陥ることもしばしばである。さらに、持ち込まれる文化実践の多様性についての解釈は、見る者の、その国の言語、文化、政治、社会などの背景知識にも大きくかかわるであろうことが容易に予測される。

　特に、社会言語学的なアプローチを取る以上、その国の言語についての知識と、ソーシャルメディアをはじめとするインターネット領域への参入可能性はきわめて重要だといえよう。理想的には、それぞれの国の地域研究を専門とする研究者らと、ネットワークコミュニケーションの研究者らとの共同研究プロジェクトとするといった発想もあるだろう。しかし、今回の研究で、筆者は、ゼミのフィールドワーク演習を兼ねて訪問した数時間と、研究仲間に声をかけ同行してもらった 1 回をのぞいて、ほぼ単独で調査にあたった。当該国について、筆者がもつ背景知識には、当然、不十分さと偏りがある。インターネット技術に関しては、お世辞にも機能を網羅しているとはいえない。

　そうした、どの面においても卓越した専門性があるとはいえない筆者が、調査者としてどのようにデータ収集を行ったかといえば、その場にいる人に聞く、という手法である。国フェスの前日までは、インターネット等でどのような活動

が持ち込まれるかについて可能な限り、下調べをする。しかし、当日になったら、いったんそれらの知識を脇に置き、現場で受ける刺激を感知することに専念する。これはエスノグラフィーの基本でもある。

　見慣れない表記や表現を認めれば、近くにいる人に尋ねる。たとえば、看板に見慣れない文字があれば、その店員に「何語で何が書いてあるのか」、「なぜそれが書かれているのか」と聞く。フェスティバルという場所がもつ活気や自由度が、それをおおいに許容してくれた。一度だけ、説明をしてくれていた店員が、店主と思しき人から「いつまでしゃべっているんだ！」と叱責され、慌てて謝罪してその場を去り、申し訳ない気持ちになったことがあった。その一度を除いて、ほとんどの場合、事情や経緯を喜んで話してくれた。機を逸して聞くことができなかったものや、後から気づいたものについては、撮った画像をその国出身の留学生に見せ、解釈も含めて教えてもらったりもした。

　だから、会場内に認められる言語的多様性について、国フェスの経緯の概観、チラシの横断的なMDA、言語景観調査などを網羅的に取り組むことで、客観性や全体性を可能な限り担保するよう努めたものの、事例の焦点化においては、調査者の恣意性を排除することはできていない。即興的な相互作用については、調査者の言語的、物理的な制約からの限界や見落としはいくらでもあったであろう。

　他方、昨今、デジタル領域を対象としたエスノグラフィーの方法論をめぐって活発な検討が行われている。なかでも、全体性への固執か断念かが、大きな分水嶺となっており、この点をめぐる議論の趨勢をなぞった上で木村（2018）は、「グローバル化、サイバースペースの拡大は、時間軸、空間軸双方において、関与する要素が爆発的に拡大しており、すべての要素を枚挙し、それらの関係性をすべて明らかにすることなどできるはずもない」(p.55) とし、エスノグラフィーの方法論的な刷新の必要性を説き、ハイブリッド・エスノグラフィーの方法論を提唱している。

　本研究は、リサーチデザインの段階で、木村（2018）が提唱するような、オンライン／オフラインのハイブリッド型の発想は携えておらず、オンライン領域は、主に予備調査の段階に取り入れたに過ぎない。

　そして、会場内でのデジタルの埋め込みについては、異言語を目にした時と同様に、分からないことはその場にいる人に聞いた。初期の段階では、「（SNSの）友達登録をしてください」と声をかけられれば、「それはどうやるんですか？」と聞き、筆者のスマートフォンを二人でのぞき込みながらアプリをダウンロード

するところから始めるということさえあった。2015年頃は、そこからでも根気強く指南してくれる人がいたが、最近は、そこまで強くすすめられることもなくなったと感じている。

　また、QRコードなどで詳細な情報を提供する掲示はよく目にするようになったが、その反面、そのそばにいる人に尋ねると、「内容についてはちょっと分からない」と言われることも増えたと感じている。これは、テクストについても同様で、文字の形から言語の種類を見分け、翻訳までしてくれるアプリがある。だから、誰かに聞かなくても、そうした便利なツールを使えば言語の種類や意味は分かるし、反対にその場にいる人に聞いたところで説明できるとは限らない、ということも増えていく。これは、国フェスそのもののありようの変化でもあるし、多言語公共空間の形成過程にも深く関連する変化である。

　とりわけ、コロナ禍以降の感染症対策を講じたベトナムフェスティバル（2020年）の調査では、その場にいる人に話しかけることは憚られた。声をかけてくれた人には、こちらからも質問をさせていただいたが、それでもなるべく長くならないように心がけた。コロナ禍はオンラインフェスティバルなど、オンライン領域の存在感を高めたが、今後、「リアルな」フェス会場とデジタル領域との紐付けや埋め込みは格段に増えていくだろう。オンラインのフェス会場（サイト）と、「リアルな」フェス会場の架橋について、より体系化した調査方法および方法論上の組み立てを要すると感じている。

　こうした課題はあるものの、国フェスに多彩な取り組みが持ち込まれることに変わりはない。それぞれの国フェス間の相互参照を通して、あるいは偶発的に類似の取り組みが展開されることもある。似通ったかと思うと、差異を際立たせる動きも生まれる。ある人から見たリンク（接合）は、別の人にすればジャンプ（飛躍）にしか見えないかもしれない。また、試行的な活動も確認される。予定調和的な場面もあれば、予測不可能な展開も見られるのがフェスである。即興や偶発に見えるモノやコトの一部は、他の人から見れば、デジタル領域であらかじめ了解、調整されていることなのかもしれない。しかし、このことはリアルな場での即興性や偶発的な出来事が起こらないことの証左にはならない。これからも、「新しい日常」のエスノグラフィーのありようも視野にいれながら、たゆまず国フェスの談話と多言語公共空間の形成過程を追いかけていきたい。

あとがき

　本書はJSPS科研基盤（C）「多言語公共空間の形成とコミュニケーション秩序」（16K02698）の助成（2016-2019）を受けた研究プロジェクトの成果を纏めたものである。研究期間中、以下の国内外の学会、研究会等で途中経過や成果の一部を報告する機会を得た。

- ◎「日本のなかの外国フェスタにおけるディスコース実践の研究」（2016年10月1日）多文化関係学会第15回年次大会（佐賀大学）
- ◎「異国フェスの言語管理：SNSからフェス場まで」（2016年12月17日）言語管理研究会・分科会合同研究会（青山学院大学）
- ◎「Ideal participants in foreign and immigrant festivals: A case study of the Irish festival in Tokyo」（2017年7月19日）The 15th International Pragmatic Conference（Belfast Waterfront Center, Belfast, Northern Ireland）
- ◎「Language use in foreign and immigrant festivals」（2017年8月26日）Multidisciplinary Approaches in Language Policy & Planning Conference（University of Toronto, OISE. Toronto, Canada）
- ◎「異国フェスの意味：在日外国人へのインタビュー調査から」（2017年10月8日）第32回異文化コミュニケーション学会（上智大学）
- ◎「Bringing in a Nation: Multimodal discourse analysis of language use in nation-specific festivals in Tokyo」（2018年6月28日）Sociolinguistics Symposium 22（Auckland University, Auckland, New Zealand）
- ◎「Discursive geography: Connecting and distancing place names in nation-specific festivals in Tokyo」（2018年9月7日）The 2nd International Conference on Sociolinguistics（Eötvös Loránd University, Budapest, Hungary）
- ◎「国フェスの言語使用：象徴・伝達・媒介機能の混淆」（2018年12月22日）言語管理研究会　多言語社会と言語問題シンポジウム（東海大学）
- ◎「「国フェス」における言語の扱われ方：言語イメージへのインパクトの探究」（2019年6月9日）日本言語政策学会（関西学院大学）

　こうして列挙してみると、研究対象とする社会的営みについて、「国フェス」という用語に落ち着くまでの紆余曲折も改めて確認できる。そして、行く先々で、たくさんのコメントやアドバイス、励ましを頂戴した。特に、国内の学会・研究会では、地域研究から移住者コミュニティ内の祭りにかかわり、都心の国フェス

までも視野に入れている研究者の方々から「違う国にまたがる催事を横断的に見るなんて無茶だ」との指摘を受けることも少なくなかった。

　それでも、代々木公園という場所を拠点に、国名を掲げる催事を、横断的に見ることにこだわって取り組んできた。そのこだわりを支えてくれたのは、国フェスに実際に参加している出演者や出店者の声であった。「同じようなことが、別の国のフェスティバルでも起きていると思うんですけど」と意見を乞うと、「それは、そうでしょう」と寸分の疑念もはさむことなく同意する声。あるいは、「今年は○○（国名）よりうちの方が盛大だ」といった、互いに意識し合っていることを耳にしたときや、留学生が互いの国フェスを訪問し合っている様子を見たときだった。ひとつの国フェスが課題としていることが、別の国フェスでは工夫して乗り越えられている場合もある。研究者が横断的に見ていくことで、こうした貢献も可能になるかもしれない。本書が研究者にとってだけでなく、国フェスを運営する人、国フェスに参加する人、地域の多文化共生を考える人に広く参考になればと願う。

謝辞
　本研究は、あまりにも多くの方々のお力添えの上にあり、全員のお名前を挙げることは到底できません。中でも、第7章に紹介させていただいた Eri Liao さんとの出会いは、筆者にとってかけがえのないものとなりました。その時々の居場所で湧き上がる感性をまっすぐに、丁寧に言葉にする Eri さんのお話には、いつも感銘を受けています。

　コラムに取り上げさせていただいた李昌燮さんは、コロナ禍で改めて自身の来し方を振り返るお話をしてくださいました。いつも忙しく飛び回っていらっしゃる昌燮さんのお話をゆっくり窺う貴重な機会に恵まれたのは、コロナ禍ゆえのことでした。音楽活動が当たり前にできる社会情勢になりますことを、心から祈っています。

　毎年、膨大なエネルギーを割いて国フェスの運営にあたっていらっしゃる、ナマステ・インディア実行委員会ならびに代表の長谷川時夫さん、在日ブラジル商工会議所、ラオスフェスティバル実行委員会ならびに学校法人さくら国際高等学校東京校のみなさま、ベトナムフェスティバル実行委員会、日韓交流おまつり事務局ならびに駐日韓国文化院、在日アイルランド商工会議所、一般社団法人ミャンマー祭り、カンボジアフェスティバル実行委員会、台湾フェスタ実行委員会の

関係各位からは、写真等の掲載許諾のほか、チラシ（キービジュアル）、資料の提供など、ご協力をいただきました。本当にありがとうございました。

　本書の執筆は、世界が新型コロナウイルス感染症の深刻な流行に見舞われた2020年度に取り組みました。この間、筆者を訪問学者として受け入れてくださった早稲田大学国際コミュニケーション研究科ならびに同学、飯野公一教授に心から御礼申し上げます。飯野公一先生には、事例を通して見出した個々のミクロな知見について、マクロな文脈に結びつける上での数々のご助言をいただきました。

　恩師である本名信行青山学院大学名誉教授には、筆者が20代の大学院生だった頃から現在に至るまで、変わらずご指導いただいています。このことは、東京を拠点とする社会言語学者として、この上なく幸運なことであると思っています。本名信行先生は、日常のどんな小さな出来事も学問的な視座をもって見つめること、社会に貢献する気持ちをもって学問に取り組む姿勢を常々教えてくださいます。傘寿をお迎えになってなお、日常のほんの些細な出来事にも洞察する探究心を絶やさない師匠をお手本に、私も年を重ねていきたいと思っています。

　また、いつも筆者の研究活動を励ましてくださる青山学院大学国際政治経済学部の末田清子学部長はじめ同僚の先生方にも、心から御礼申し上げます。アイデンティティの研究をご専門とされるコミュニケーション学者の末田清子先生は、学者、教育者としてはもとより、社会人として、あるいは家庭人としてどう歩んでいくべきか、公私にわたり相談にのってくださる、私にとって羅針盤のような存在です。これからもどうぞよろしくお願いいたします。

　本書の出版を引き受けてくださった株式会社三元社の石田俊二社長、迅速に的確なアドバイスをくださる編集者の山野麻里子さんにもひとかたならぬご尽力を賜りました。深く感謝申し上げます。山野麻里子さんの言葉に対する感度と嗅覚から発せられる鋭いご指摘には、言語学者として恥じ入ること度々でした。なお、本書は青山学院大学国際政治経済学会の出版助成を受けています。

　最後に、どんなときも温かく私を包みこんでくれる最愛の家族と、人生の愉しみを見出し、ゆったりと元気でいてくれる両親と義母に、心から感謝の言葉を伝えたいと思います。ありがとうございます。

2021年6月　猿橋順子

引用文献

飯田剛史（2002）『在日コリアンの宗教と祭り――民族と宗教の社会学』世界思想社

井上さゆり（2011）「ビルマ世界――民俗・芸能」伊東利勝（編）『ミャンマー概説』
　　（pp.150-176）めこん

尾上兼英（1983）「日本の華僑社会における芸能の変容」山田信夫（編）『日本華僑と文化
　　摩擦』（pp.369-398）巌南堂書店

菊地昭典（2004）『ヒトを呼ぶ市民の祭り運営術――定禅寺ストリートジャズフェスティ
　　バルのまちづくり』学陽書房

木村忠正（2018）『ハイブリッド・エスノグラフィー――NC研究の質的方法と実践』新
　　曜社

クルマス，フロリアン（2009）「言語景観と公共圏の起源」庄司博史・バックハウス，P.
　　・クルマス，F.（編著）『日本の言語景観』（pp.79-94）三元社

国立国語研究所（編）（1966=1975）『日本言語地図』大蔵省印刷局

佐藤郁哉（2006）『フィールドワーク――書を持って街へ出よう』（増訂版）新曜社

猿橋順子（2013）「エスニックビジネスにおける言語管理とエンパワメント――高田馬場
　　界隈のビルマレストランを事例として」『青山国際政経論集』89: 99-125.

猿橋順子（2016a）「言語景観データ分析の方法：テクスト・談話・記号」*Aoyama
　　Journal of International Studies* 3: 43-62.

猿橋順子（2016b）「言語景観のエスノグラフィー――明治神宮の日英語掲示物比較を事例
　　として」『社会言語科学』19(1): 174-189.

猿橋順子・岡部大祐（2017）「国フェスに見るディスコースの共有と転換――ミャンマー
　　祭りを事例として」『多文化関係学』14: 3-21.

猿橋順子・坂本光代（2020）「トランスランゲージングの遂行性――国際的なトークショー
　　のディスコース分析を通して」『青山国際政経論集』105: 25-54.

庄司博史・バックハウス，P.・クルマス，F.（編著）（2009）『日本の言語景観』三元社

菅野敦志（2012）『台湾の言語と文字――「国語」・「方言」・「文字改革」』勁草書房

田辺寿夫（2008）『負けるな！ 在日ビルマ人』梨の木舎

茶谷幸治（2003）『イベント化社会――実践的イベント論序説』関西学院大学出版会

張玉玲（2003）「在日華僑の『中国文化』観と華僑文化の創出――横浜華僑による獅子舞
　　の伝承形態から」『国際開発研究フォーラム』23: 223-242.

徳川宗賢（1993）『方言地理学の展開』ひつじ書房

永井純一（2016）『ロックフェスの社会学――個人化社会における祝祭をめぐって』ミネ
　　ルヴァ書房

長谷川時夫（1988）『宇宙の森へようこそ』地湧社

秦孝治郎（著）坂本武人（編）（1993）『露店市・縁日市』中公文庫

福永由香（編）庄司博史（監修）（2020）『顕在化する多言語社会日本――多言語状況の的

確な把握と理解のために』三元社

松平誠（1994）『現代ニッポン祭り考——都市祭りの伝統を創る人びと』図書印刷

Anholt, S. (2007). *Competitive Identity: The New Brand Management for Nations, Cities and Regions*. Basingstoke: Palgrave Macmillan.

Appadurai, A. (1990). Disjuncture and difference in the global cultural economy. *Theory, Culture, and Society*, 7(2-3): 295-310.

Aronczyk, M. (2008). "Living the brand": Nationality, globality, and the identity strategies of nation branding consultants. *International Journal of Communication*, 2: 41-65.

Aronczyk, M. & Craig, A. (2012). Introduction: Cultures of circulation. *Poetics*, 40(2): 93-100.

Aubin, F. (2014). Between public space(s) and public sphere(s): An assessment of Francophone contributions. *Canadian Journal of Communication*, 39: 89-116.

Backhaus, P. (2007). *Linguistic Landscapes: A Comparative Study of Urban Multilingualism in Tokyo*. Clevedon: Multilingual Matters.

Barthes, R. (1977). *Image-Music-Text*. (Stephen Heath, Trans.) London: Fontana Press.

Bednarek, M. & Caple, H. (2014). Why do news values matter? Towards a new methodological framework for analyzing news discourse in Critical Discourse Analysis and beyond. *Discourse & Society*, 25(2): 135-158.

Bennett, A., Taylor, J., & Woodward, I. (Eds.) (2014). *The Festivalization of Culture*. Oxon: Routledge.

Bhabha, H. (1994). *The Location of Culture*. London: Routledge.

Billig, M. (1995). *Banal Nationalism*. London: Sage.

Blommaert, J. (2005). *Discourse: A Critical Introduction*. Cambridge: Cambridge University Press.

Blommaert, J. (2010). *The Sociolinguistics of Globalization*. Cambridge: Cambridge University Press.

Blommaert, J. (2013). *Ethnography, Superdiversity and Linguistic Landscapes*. Bristol: Multilingual Matters.

Blommaert, J., Collins, J., & Slembrouck, S. (2005). Spaces of multilingualism. *Language & Communication*, 25: 197-216.

Blommaert, J. & Rampton, B. (2016). Language and superdiversity. In K. Arnaut, J. Blommaert, B. Rampton, & M. Spotti (Eds.) *Language and Superdiversity*, (pp.21-48) New York: Taylor & Francis.

Bourdieu, P. (1986). The forms of Capital. In J. G. Richardson (Ed.) *Handbook of Theory and Research for the Sociology of Education*, (pp.46-58) Connecticut: Greenwood Press.

Bourdieu, P. (1991). The production and reproduction of legitimate language. In J. B.

Thompson (Ed.) *Language and Symbolic Power.* (G. Raymond & M. Adamson Trans.) (pp.43-65) Cambridge: Polity Press. (Original work published 1982).

Burr, V. (1995). *An Introduction to Social Constructionism.* London: Routledge.（バー，V.（著）田中一彦（訳）（1997）『社会的構築主義への招待――言説分析とは何か』川島書店）

Cameron, D. & Panović, I. (2014). *Working with Written Discourse.* London: Sage

Classen, C. & Howes, D. (1996). The dynamics and ethics of cross-cultural consumption. In D. Howes (Ed.) *Cross-cultural Consumption: Global Markets, Local Realities*, (pp.178-194) London: Routledge.

Constantinou, O. (2005). Multimodal Discourse Analysis: Media, modes and technologies. *Journal of Sociolinguistics*, 9(4): 602-618.

Cooper, R. L. (1989). *Language Planning and Social Change.* Cambridge: Cambridge University Press.

Eco, U. (1976). *A Theory of Semiotics.* Bloomington: Indiana University Press.

Emerson, R. M., Fretz, R. I., & Shaw, L. L. (1995=2011). *Writing Ethnographic Fieldnotes*, 2nd ed.（エマーソン，R.・フレッツ，R.・ショウ，L.（著）佐藤郁哉・好井裕明・山田富秋（訳）（1998）『方法としてのフィールドノート』新曜社）

Fairclough, N. (2003). *Analysing Discourse: Textual Analysis for Social Research.* London: Routledge.

Fettes, M. (1997). Language planning and education. In R. Wodak & D. Corson (Eds.) *Encyclopedia of Language and Education: Language Policy and Political Issues in Education*, (pp.13-22) Dordrecht: Kluwer Academic.

Foucault, M. (1969) *L'Archéologie du savoir*, Paris: Gallimard.（フーコー，M.（著）慎改康之（訳）（2014）『知の考古学』河出書房）

Garcia, O. & Li Wei (2014). *Translanguaging: Language, Bilingualism and Education.* London: Palgrave Macmillan.

Gee, J. P. (1999=2014). *An Introduction to Discourse Analysis: Theory and Method*, 4th ed. Oxon: Routledge.

Goffman, E. (1963). *Behavior in Public Places: Notes on the Social Organization of Gatherings.* New York: Free Press.（ゴッフマン，E.（著）丸木恵祐・本名信行（訳）（1980）『集まりの構造――新しい日常行動論を求めて』誠信書房）

Goffman, E. (1983). The interaction order: American Sociological Association, 1982 Presidential address. *American Sociological Review*, 48(1): 1-17.

Goffman, E. (2010). *Relations in Public: Microstudies of the Public Order.* New Brunswick: Transaction Publishers. (Original work published 1971, New York: Basic Books)

Goldstein-Gidoni, O. (2005). The production and consumption of 'Japanese Culture' in the global cultural market. *Journal of Consumer Culture*, 5(2): 155-179.

Guichard-Anguis, S. (2001). Japan through French eyes: "The Ephemeral" as a cultural production. In H. Befuand & S. Guichard-Anguis (Eds.) *Globalizing Japan: Ethnography of the Japanese Presence in America, Asia and Europe*, (pp.209-222) London: Routledge.

Halliday, M. A. K. (1994). *Introduction to Functional Grammar*, 2nd ed. London: Edward Arnold.

Halliday, M. A. K. & Hasan, R. (1976). *Cohesion in English*. London: Longman.

Harvey, D. (2006). *Spaces of Global Capitalism: Towards a Theory of Uneven Geographical Development*. New York: Verso.

Hine, C. (2000). *Virtual Ethnography*. London: Sage.

Hine, C. (2015). *Ethnography for the Internet: Embedded, Embodied and Everyday*. London: Bloomsburry.

Hornberger, N. (2013). Negotiating methodological rich points in the ethnography of language policy. *International Journal of the Sociology of Language*, 219: 101-122.

Hornberger, N. (2015). Selecting appropriate research methods in LPP research: Methodological rich points. In F. M. Hult & D. C. Johnson (Eds.) *Research Methods in Language Policy and Planning: A Practical Guide*, (pp.9-20) West Sussex: Wiley-Blackwell.

Howell, S. (1995). Whose knowledge and whose power? A new perspective on cultural diffusion. In R. Fardon (Ed.) *Counterworks: Managing the Diversity of Knowledge*, (pp.164-181) London: Routledge.

Hult, F. M. (2010). Analysis of language policy discourses across the scales of space and time. *International Journal of Sociology of Language*, 202: 7-24.

Hult, F. M. (2015). Making policy connections across scales using nexus analysis. In F. M. Hult & D. C. Johnson (Eds.) *Research Methods in Language Policy and Planning: A Practical Guide*, (pp.217-231) West Sussex: Wiley-Blackwell.

Inda, J. X. & Rosald, R. (Eds.) (2008). *The Anthropology of Globalization*, 2nd ed. Oxford: Blackwell.

Iwabuchi, K. (2015). Pop-culture diplomacy in Japan: Soft power, nation branding and the question of 'international cultural exchange'. *International Journal of Cultural Policy*, 21(4): 419-432.

Johnson, W. M. (1991). *Celebrations: The Cult of Anniversaries in Europe and the United States Today*. New Brunswick, N.J.: Transaction Publishers（ジョンストン，W. M.（著）小池和子（訳）（1993）『記念祭／記念日カルト──今日のヨーロッパ、アメリカにみる』現代書館）

Kauppinen, K. (2014). Welcome to the end of the world! Resignifying periphery under the new economy: A nexus analytical view of a tourist website. *Journal of Multicultural Discourses*, 9(1): 1-19.

Kelly-Holmes, H. (2015). Analyzing language policies in new media. In F. M. Hult & D. C. Johnson (Eds.) *Research Methods in Language Policy and Planning: A Practical Guide*, (pp.130-139) West Sussex: Wiley-Blackwell.

Kress, G. & van Leeuwen, T. (2001). *Multimodal Discourse: The Modes and Media of Contemporary Communication*. London: Hodder Education.

Kress, G. & van Leeuwen, T. (2006). *Reading Images: The Grammar of Visual Design*. London: Routledge.

Lamarre, P. (2014). Bilingual winks and bilingual wordplay in Montreal's linguistic landscape. *International Journal of the Sociology of Language*, 228: 131-151.

Landry, R. & Bourhis, R. Y. (1997). Linguistic landscape and ethnolingustic vitality. *Journal of Language and Social Psychology*, 16(1): 23-49.

Lave, J. & Wenger, E. (1991). *Situated Learning: Legitimate Peripheral Participation*. Cambridge: Cambridge University Press. (レイヴ, J.・ウェンガー, E. (著) 佐伯胖 (訳) (1993)『状況に埋め込まれた学習——正統的周辺参加』産業図書)

Li, Y.-N. & Wood, E. H. (2016). Music festival motivation in China: Free the mind. *Leisure Studies*, 35(3): 332-351.

MaCarty, T. L. (Ed.) (2011). *Ethnography and Language Policy*. New York: Routledge.

McDermott, P. (2012). Cohesion, sharing and integration? Migrant language and cultural spaces in Northern Ireland's urban environment. *Current Issues in Language Planning*, 13(3): 187-205.

Merkel, U. (2015). Making sense of identity discourses in international events, festivals and spectacles. In U. Merkel (Ed.) *Identity Discourses and Communities in International Events, Festivals and Spectacles*, (pp.3-33) New York: Palgrave Macmillan.

Mitra, S. (2016). Merchandizing the sacred: Commodifying Hindu religion, gods/goddesses, and festivals in the United States. *Journal of Media and Religion*, 15(2): 113-121.

Myer-Scotton, C. (1993). *Social Motivations for Code-switching*. Oxford: Clarendon Press.

Nye, J. S. (2004). *Soft Power: The Means to Success in World Politics*. New York: Public Affairs. (ナイ, J.S. (著) 山岡洋一 (訳) (2004)『ソフト・パワー——21世紀国際政治を制する見えざる力』日本経済新聞出版)

Park, G. C. (2011). "Are we real Americans?": Cultural production of forever foreigners at a diversity event. *Education and Urban Society*, 43(4): 451-467.

Partridge, C. (2006). The spiritual and the revolutionary: Alternative spirituality, British free festivals, and the emergence of Rave Culture. *Culture and Religion*, 7(1): 41-60.

Pietikainen, S. & Kelly-Holmes, H. (2011). The local political economy of languages in a Sami tourism destination: Authenticity and mobility in the labelling of souvenirs.

Journal of Sociolinguistics, 15(3): 323-346.

Pink, S. (2007). *Doing Visual Ethnography*. London: Sage.

Pink, S., Horst, H., Postill, J., Hjorth, L., Lewis, T., & Tacchi, J. (2016). *Digital Ethnography: Principles and Practice*. London: Sage.

Rampton, B. (2016). Drilling down to the grain in superdiversity. In K. Arnaut, J. Blommaert, B. Rampton, & M. Spotti (Eds.) *Language and Superdiversity*, (pp.91-109) New York: Taylor & Francis.

Rogers, A. (2015). *Performing Asian Transnationalisms: Theatre, Identity and the Geographies of Performance*. New York: Routledge.

Rubdy, R. & Alsagoff, L. (2014). *The Global-local Interface and Hybridity*. Bristol: Multilingual Matters.

Said, E. W. (1978=1991). *Orientalism*. London: Penguin Books.（サイード，E. W.（著）板垣雄三・杉田英明（監）今沢紀子（訳）(1993)『オリエンタリズム』平凡社）

Saruhashi, J. (2018). Personal empowerment through language management. In J. Nekvapil, L. Fairbrother, & M. Sloboda (Eds.) *Language Management Approach: Special Focus on Research Methodology*, (pp.231-258) New York: Peter Lang.

Schiffman, H. F. (1996). *Linguistic Culture and Language Policy*. London: Routledge.

Scollon, R. (2001). *Mediated Discourse: The Nexus of Practice*. Oxon: Routledge.

Scollon, R. & Scollon, S. W. (2003). *Discourses in Place: Language in the Material World*. Oxon: Routledge.

Scollon, R. & Scollon, S. W. (2004). *Nexus Analysis: Discourse and the Emerging Internet*. London: Routledge.

Scollon, S. W. (2015) From mediated discourse and nexus analysis to geosemiotics: A personal account. In S. Norris & C. D. Maier (Eds.) *Interacations, Images and Text: A Reader in Multimodality*, (pp.7-12) Boston: Walter de Gruyter.

Shohamy, E. (2006). *Language Policy: Hidden Agendas and New Approaches*. Oxon: Routledge.

Shohamy, E., Ben-Rafael, E., & Barni, M. (2010). *Linguistic Landscape in the City*. Bristol: Multilingual Matters.

Silverstein, M. (1993). Metapragmatic discourse and metapragmatic function. In J. A. Lucy (Ed.) *Reflexive Language: Reported Speech and Metapragmatics*, (pp.33-58) Cambridge: Cambridge University Press.

Silverstein, M. (2015). How language communities intersect: Is "superdiversity" an incremental or transformative condition? *Language and Communication*, 44:7-18.

Spolsky, B. (2009). *Language Management*. Cambridge: Cambridge University Press.

Szecsi, T. & Szilagyi, J. (2012). Immigrant Hungarian families' perceptions of new media technologies in the transmission of heritage language and culture. *Language, Culture & Curriculum*, 25(3): 265-281.

Thurlow, C. & Jaworski, A. (2014). 'Two hundred ninety-four': Remediation and multimodal performance in tourist placemaking. *Journal of Sociolinguistics*, 18(4): 459-494.

Urry, J. (1990). *The Tourist Gaze: Leisure and Travel in Contemporary Societies*. London: Sage.

van Dijk, T. A. (2006). Introduction: The study of Discourse. In T. A. van Dijk (Ed.) *Discourse Studies: A Multidisciplinary Introduction*, (pp.1-7) London: Sage.

van Leeuwen, T. (2005). *Introducing Social Semiotics*. London: Routledge.

van Leeuwen, T. (2020). Multimodality and multimodal research. In L. Pauwels & D. Mannay (Eds.) *The Sage Handbook of Visual Research Methods*, 2nd ed., (pp.464-483). London: Sage.

Vertovec, S. (2007). Superdiversity and its implications, *Ethnic and Racial Studies*, 30(6): 1024-1054.

Wright, S. (2016). *Language Policy and Language Planning: From Nationalism to Globalization*. London: Palgrave Macmillan

参照URL

伊佐リスレン（2016, February 18)「カンボジアフェスティバル2016 開催趣旨および目的」 http://cambodiafestival.com/pdf/cambodia_festival_2016_syusaisyushi.pdf

エスカラ，エラルド（2014, January 16)「ペルー人移民が日本社会に溶け込めるよう尽力」nippon.com. https://www.nippon.com/ja/people/e00054/

NHK（2020, December 21)「コロナ禍でベトナム人の"駆け込み寺"が苦境に」https://www.nhk.or.jp/shutoken/wr/20201221a.html

神奈川県（2017, July 15)「写真で見る！『黒岩日記』」https://www.pref.kanagawa.jp/cnt/chiji/p1160306.html

カンボジアフェスティバル実行委員会（2015)「カンボジアフェスティバル2015 報告書」http://cambodiafestival.com/pdf/20150529-no-account-statement.pdf

国土交通省（2016)「新たなステージに向けた緑とオープンスペース政策の展開について」http://www.mlit.go.jp/common/001132967.pdf

KOKORO（2020, August 19)「在日ベトナム人コミュニティ紹介 Vol 1: 在日ベトナム学生青年協会（VYSA）」https://www.kokoro-vj.org/ja/post_9335

在日ブラジル商工会議所（旧公式HP）（2016, July 19)「ありがとうございました」http://ccbjserver.xsrv.jp/noticias?page=217#

さくら国際高等学校東京校（n.d.)「国際交流・地域交流」https://tokyo.sakura-kokusai.ed.jp/characteristics/international

CINRA（2020, January 14)「ブラジル国籍のラッパーACEは、日本社会をこうサバイブしている」https://www.cinra.net/interview/202001-ace_kngsh

台湾フェスタ実行委員会（2016)「Performer」http://twfes.com/performer/

台湾フェスタ実行委員会（2019）「About」https://taiwan-festa.com/about/

駐日韓国文化院（2020, August 31）「日韓交流おまつり2015 in Tokyo～行事の準備から終了まで！」https://www.youtube.com/watch?v=cJwAl2s6W9s&feature=emb_logo

東京都公園協会（n.d.）｜都会で一番広い空が見える森林公園　代々木公園」https://www.tokyo-park.or.jp/park/format/facilities039.html

内閣官房新型コロナウイルス感染症対策推進室長（2020, September 11）「11月末までの催物の開催制限等について」https://corona.go.jp/news/pdf/jimurenraku_20200911.pdf

内閣府知的財産戦略推進事務局（2018）「クールジャパン戦略について」http://www.cao.go.jp/cool_japan/about/pdf/cj_initiative.pdf

ナマステ・インディア（2020）「ナマステ・インディアの歴史」http://www.indofestival.com/about/namaste.html

日韓交流おまつり実行委員会（2015）「日韓交流おまつり2015 in Tokyo 事業報告書」http://www.nikkan-omatsuri.jp/history/upload/2015report.pdf

日韓交流おまつり2020実行委員会（2020）「第12回日韓交流おまつりオンライン 事業報告書」https://www.nikkan-omatsuri.jp/upload/2020report_jp.pdf

長谷川時夫（2018, October 18）「長谷川時夫の日印文化交流40年。いまだ成長、発展中！！」日印文化交流ネットワーク　https://tsunagaru-india.com/

長谷川時夫（2019, August 20）「インドの民俗画ミティラーを収集保存して37年」日印文化交流ネットワーク　https://tsunagaru-india.com/

伏見和子（2020, August 27）「冷戦下の代理戦争から東京の生活戦争へ。シャン民族料理店「ノングインレイ」スティップさんの人生」難民支援協会　https://www.refugee.or.jp/fukuzatsu/kazukofushimi01

ベトナムフェスティバル（2020, November 1）「来週末に開催が迫ってきております」［status update］Facebook. https://www.facebook.com/vietnamfes

ベトナムフェスティバル2008実行委員会（2008）「Vietnam Festival 2008 実施報告書」http://www.vietnamfes.net/2008/report/img/report.pdf

ベトナムフェスティバル2016実行委員会（2016）「Viet Nam Festival 2016 実施報告書」https://www.vietnamfes.net/2016/pdf/VF2016report.pdf

ベトナムフェスティバル2019実行委員会（2019）「Vietnam Festival 2019 実施報告書」http://www.vietnamfes.net/2019/pdf/VF2019-report.pdf

ベトナムフェスティバル2020実行委員会（2020）「ベトナムフェスティバル2020 ベトナム・アジアの心 実施報告書」https://www.vietnamfes. net/pdf/Vietnam-Festival2020-report.pdf

ミャンマー祭り実行委員会（2015a）「ミャンマー祭り実行委員会規約」http://myanmarfestival.org/introduction/

ミャンマー祭り実行委員会（2015b）「ミャンマー祭りを語る──お寺で『ミャンマー祭り』をする理由」http://m2015.myanmarfestival.org/about_p2/

引用文献

Universal Music（2021）「FABIANA Biography」https://www.universal-music.co.jp/
fabiana/biography/
ラオスフェスティバル（2007）「ラオスフェスティバル2007終了」https://laos-festival.jp/
top/224

International Press en Español (2017, August 1). "Unas 15.000 personas transitaron el
domingo por la alameda donde se realizó Oishii Perú". https://internationalpress.
jp/2017/08/01/unas-15-000-personas-transitaron-el-domingo-por-la-alameda-
donde-se-realizo-oishii-peru/
Irish Network Japan (2012). "History of St. Patrick's Parades in Japan". https://www.inj.
or.jp/archives/693?lang=en
Japan Festival Boston (2020). https://www.japanfestivalboston.org/
Japan Summer Festival Singapore. https://www.sportshub.com.sg/japansummerfest
Melbourne Japanese Summer Festival (2021). https://www.mjsf.com.au/
The Sydney Morning Herald (2016, May 26). "Barack Obama stops for noodles with
Anthony Bourdain in Vietnam"

ビール販売のブース（ラオスフェスティバル、2017年）

［著者紹介］

猿橋順子（さるはし・じゅんこ）

青山学院大学国際政治経済学部国際コミュニケーション学科教授。青山学院大学大学院国際政治経済学研究科国際コミュニケーション専攻博士後期課程修了。博士（国際コミュニケーション）。専門は社会言語学、言語政策研究。特に移民にとっての言語問題の克服、エンパワメントとアイデンティティ、受入れ社会の言語対応に焦点をあてて研究を行っている。主な共編著書に『コミュニケーション研究法』（末田清子、抱井尚子、田崎勝也との共編著、ナカニシヤ出版、2011）、本書と関連する論文に「言語景観のエスノグラフィー——明治神宮の日英語掲示物比較を事例として」『社会言語科学』19巻1号（2016）、近著に "Language education policy in Japan" In Andy Kirkpatrick and Anthony J. Liddicoat (Eds.) *The Routledge International Handbook of Language Education Policy in Asia*（本名信行との共著、Routledge, 2019）などがある。

国フェスの社会言語学

多言語公共空間の談話と相互作用

発行日　二〇二一年七月二〇日 初版第一刷発行

著　者　猿橋順子

発行所　株式会社 三元社
〒一一三―〇〇三三
東京都文京区本郷一―二八―三六
鳳明ビル一階
電話／〇三―五八〇三―四一五五
ファックス／〇三―五八〇三―四一五六

印刷所　モリモト印刷 株式会社

製本所　鶴亀製本 株式会社

ISBN978-4-88303-534-2
http://www.sangensha.co.jp/